P9-CCU-826

Moha le fou
Moha le sage

Comment parler aujourd'hui de la société maghrébine ? Comment rendre sa complexité, son ambiguïté, sa violence, sa générosité ? Seule la parole d'un homme fondamentalement libre peut transmettre ce vécu en pleine mutation, un homme nu, amant de la vérité.

Voici Moha, né de l'exclusion et de la solitude, entre la pierre et la poussière du bidonville. Il parle. Il traverse le pays et l'époque avec désinvolture, avec dérision et humour. Il entend les voix qu'on étouffe : le jeune militant condamné pour délit d'opinion, l'esclave noire et la petite domestique qui n'a même pas le droit de parler.

Moha, lui, parle dans la foule selon la tradition des conteurs populaires au Maghreb. Il dit le pays et ses erreurs, ses rêves et ses espérances. La parole du fou était acceptée dans le Maghreb d'avant. Aujourd'hui, c'est une parole suspecte et voilà qu'on refoule le fou dans la maladie.

Moha, c'est la voix des exclus. C'est un poète lyrique fou des mots, fou d'amour pour la vie, fou d'amitié pour les gamins, fou de fraternité pour l'Indien, cet autre exclu, et pour son ami d'enfance, Moché, le fou des Juifs. Moha, c'est le poète qui enlève les masques à toute une société.

Ce roman a obtenu le prix des Bibliothécaires de France et de Radio-Monte-Carlo en 1979.

Tahar Ben Jelloun, né en 1944 à Fès (Maroc), poète, romancier, essayiste et journaliste. Collaborateur au Monde. *Thèse de doctorat en psychiatrie sociale dont il a tiré* la Plus Haute des solitudes *(1977). A également publié deux autres romans :* Harrouda *(1973) et* la Réclusion solitaire *(1976) ainsi que plusieurs recueils de poèmes.*

Du même auteur

Harrouda
Denoël, roman, 1973
et coll. « Relire », 1977

La réclusion solitaire
Denoël, roman, 1976
Seuil, coll. « Points Roman », 1981

Les amandiers sont morts de leurs blessures
poèmes et nouvelles suivis de
Cicatrices du soleil *et de* Le discours du chameau
Maspero, coll. « Voix », 1976
repris dans P.C.M., *1979*
prix de l'Amitié franco-arabe, 1976

La mémoire future
anthologie de la nouvelle poésie du Maroc
Maspero, coll. « Voix », 1976 (épuisé)

La plus haute des solitudes
Seuil, coll. « Combats », 1977
et coll. « Points Actuels », 1979

Moha le fou, Moha le sage
Seuil, roman, 1978
prix des Bibliothécaires de France
et de Radio Monte-Carlo, 1979

A l'insu du souvenir
Maspero, poèmes, 1980

La prière de l'absent
Seuil, roman, 1981

L'écrivain public
Seuil, roman, 1983

Hospitalité française
Seuil, coll. « Histoire immédiate », 1984

Tahar Ben Jelloun

Moha le fou
Moha le sage

roman

Éditions du Seuil

TEXTE INTÉGRAL.

EN COUVERTURE : planche coranique.

ISBN 2-02-005474-4.
(ISBN 2-02-004934-1, 1re publication).

O muets, muets cimetières en vos tristes allées,
je hurle, je crie; je crie, me lamente
et dans le silence j'entends
l'austère neige éparpillée dans l'ombre
où se répercutent des pas solitaires.
Comme si une bête de fer et de pierre
rongeait la vie : point de vie du soir jusqu'au jour!

Badr Châker as-Sayyâb,
(traduit par André Miquel).

Le rapport médical était formel : « M. Ahmed R. est décédé d'un arrêt cardiaque compliqué d'une atteinte méningée. » La Ligue nationale des droits de l'homme publia un communiqué confirmant cette thèse. Elle reconnut cependant que le jeune homme « avait subi quelques sévices durant l'interrogatoire de la police ». Elle exprima aussi « son émotion devant les circonstances de ce décès ».

Un homme politique déclara à la presse étrangère : « Ici, ce n'est pas le Chili ou l'Argentine. On ne meurt pas sous la torture! »

Qu'importe les déclarations officielles. Un homme a été torturé. Pour résister à la douleur, pour triompher de la souffrance, il eut recours à un stratagème : se remémorer les plus beaux souvenirs de sa courte vie.

C'est sa parole qu'on entendra. Seul Moha saura la capter et la transmettre aux autres.

Sous l'éternité épaisse, le ciel.
Livré aux sables, il interroge la pierre, la muraille, l'enceinte.
Un astre s'est éteint, ce matin, sur la rosée. C'était un enfant.
Le pays est enveloppé de silence, de nuages et de bleu.
Là, derrière ce mur qui s'élève et te sépare de la vie, des mains s'agitent.
Quelle vie ? me diras-tu. Pas celle qu'ils achèvent. Celle qui a habité ton rêve.

Sous l'étreinte de l'absence, un sanglot.

La lune éclaire la terre ocre de ton village. Une terre qui bouge. Une terre mal aimée. Elle avance nue vers la forêt. Les étoiles sont là; elles peuplent ce ciel indifférent pendant que ton corps s'étire dans le temps et perd la mémoire, écume d'une mer qui s'éloigne. D'ailleurs tout s'éloigne, l'olivier, le verger, le ruisseau, la voix. Recouverts d'une brume légère ou d'un voile. C'est le début de la fièvre.

Une main, tout doucement, te pousse vers la nuit. Un oiseau déchiré par le vent tombe. Il gît sur l'herbe mouillée.

Ton corps. Déposé sur une table froide. Attaché. Immobile. Ouvert par des mains gantées. Des doigts métalliques ont fait des trous dans ta poitrine. Le sang est la rosée de l'innocence. Le vent t'a décoiffé. Les questions tombaient et tournaient comme l'épée dans l'œil. Au bord de la nuit, une larme. Un cheval fou — bandeau noir sur les yeux — court dans le verger de ton enfance. Un vieil homme le battait. Et toi, couché sous l'arbre, tu pleurais.

Les mains gantées passent sur ton visage et remplissent ta bouche de terre humide. Tu étouffes. La muraille s'ouvre. Tu respires de nouveau. Un cri. Échappé à la nuit qui a gardé en son sein un peu de givre et de chaux vive. La douleur, comme un éclair, a brisé le miroir à même la mort hantée de larmes. La folie de ce regard tranché de ténèbres pousse la peur hors de cette cave. Tu es là pour brûler et égarer ta présence entre les doigts de la mort. Ton corps a peu vécu. Et tes yeux bandés perdent du jour. Des pétales bleus se sont déposés sur le tissu noir qui t'empêche de voir. Mais tu entends la source, comme tu entends leurs bavardages. Comme tu entends leur respiration. Ils veulent que la peur t'inonde. Mais la fièvre te dérobe à leur stratégie.

Les murs sont froids. Tes doigts se sont agrippés à la moisissure au moment où tu voulais résister. Tes doigts sont de verdure et de sable. Tes yeux bandés. Mais tu vois. La nuit est une prairie d'étoiles traversée de quelques murmures. Le ruisseau, tu l'entends. Une feuille de menthe entre les dents et les pieds dans l'eau. La nuit sera de cette absence. Les pierres suivent le courant et toi tu souris.

Ils ont déposé sur ton ventre une dalle de marbre. Ton ventre nu. Et ton visage serein. Même quand tu n'en peux plus et que tu pousses un cri, un cri des profondeurs, ton visage reste limpide. Tu es ailleurs. Tu cours pieds nus dans le verger. La dalle pèse une tonne de silence. Ils téléphonent. Reçoivent des ordres, les exécutent. C'est leur métier. Ton visage se donne au soleil et tu souris. Tu t'arrêtes de respirer. Tu fermes les poings et tu attends. La dalle est légère. Une feuille morte sur ton corps en cet automne où le ciel est couleur de rouille. Le ciel, tout le ciel. Sur ton corps. On fait couler l'eau dans un seau. Tu as triomphé de la dalle. Tu t'es même habitué à son contact froid. A présent, ils changent d'épreuve. L'eau. On peut faire beaucoup de choses avec l'eau. On peut la salir et te la faire boire. On peut pisser dedans et t'arroser. Là, ils y mettent du gros sel. Le seau doit être grand, car non seulement ils y ont pissé mais aussi craché. Tu as un moment de panique. Tu ne maîtrises plus ton corps. Tes réactions précèdent tes pensées. Un sursaut, presque involontaire, quelque chose d'inconscient ou de nerveux. La bande de tissu noir meurtrit tes paupières, pleines du jour, baissées sur tant de beauté et de fragilité. Tu te souviens de ce que racontaient les camarades. On va te faire boire quelques tasses, juste de quoi te faire peur. La mer était agitée. Le vent était chargé de sable fin. Pendant que la main gantée écartait tes mâchoires, l'autre versait le seau. Ta main s'est posée sur l'épaule nue de la fille. Le sable sur la peau. Elle s'est retournée, mais tu ne l'as pas vue; la lumière t'aveuglait. Tu as senti ses seins. Vous vous êtes frôlés. Vous avez marché le long des vagues. Tu as vomi. Ils t'ont barbouillé le visage avec les déchets de ce corps. Ce corps qui leur appartient. Tu as cru que c'était la fin, car tu ne voyais plus rien dans ton arrière-pays. Tes souvenirs devenaient des plaies noires. Des larmes d'acier traversaient ton corps. Des couperets tranchaient tes membres. Tu t'es dit dans cette lucidité folle : « C'est ça la douleur! » Des étoiles par milliers viennent buter contre ton front. Tu n'as pas la force d'en attraper une. Pour en parler après; pour raconter. C'est le vide qui creuse. La douleur est passée de l'autre côté. Tu t'arrêtes un instant. Non; tu ne réfléchis pas. Mais tu arrêtes tout.

C'est l'accalmie. L'aube. Le jour va se lever et un enfant est en train de naître. Tu entends sa mère appeler le prophète Mohammad à son secours. Tu souris. Car tu n'as pas pensé à appeler le Prophète. Tu te dis : « La vie est courte et Mohammad est son prophète! » Ce gosse qui va naître! Et ce pays frappé d'amnésie. La mort a un drôle de goût. Tu ne voulais pas mourir. Tu as vingt-six ans et ta mère aime tes yeux. Ils sont noirs. Noirs et immenses. Tes cils aussi sont beaux. Tu as faim. Mais tu redoutes la nourriture. Tu as appris qu'un homme peut rester longtemps sans manger et puis tu te dis : « Ils ne me laisseront pas mourir; ils n'ont pas intérêt. » Et pourtant... Alors tu oublies la faim. Mais la soif est dure à oublier. Tu tends le bras et tu le retires vite, car l'eau de la source au pied de la montagne est glacée. Tu finis par laisser ton bras sous l'eau Tu chantes un petit chant berbère à ta fille qui danse. Son petit corps se mêle à l'herbe mouillée, aux fleurs comme à la tendresse. Tu cours après elle et son rire t'envahit. Mais ta gorge est sèche. Ta main serre le rebord de la table métallique. Peut-être vont-ils t'opérer. La table, c'est du métal, comme dans un hôpital. La peur est un nuage sombre qui t'empêche de voir Tu commences alors à douter. « Ai-je parlé ? Ai-je dit quelque chose ? Mais je n'ai rien à dire. » Tu cries; tu hurles. Les murs sont épais. Les murs sont lourds et ils avancent ou s'éloignent Tu ne sais pas très bien. Plus tu cries, plus ils bougent C'est la confusion. « Et le plafond, va-t-il m'écraser ? Je suis peut-être mort. C'est ça la mort ?.. » Silence. Tu entends ton cœur battre malgré tout Tu te ramasses, ou plutôt non, tu te maintiens accroché aux limbes de la mémoire, comme un naufragé, comme un arbre qui ramasserait ses racines, qui les avalerait pour qu'on ne les lui arrache pas. Toi aussi tu as avalé les souvenirs et les images. Tu confonds tout. Tu ne sais plus ce que tu fais. Tu te cramponnes comme l'arbre à sa motte de terre. Il faut un temps d'arrêt. Un lac tranquille. L'image d'un lac. Un territoire plat. Avec juste la lumière qu'il faut. La lumière de l'aube te convient. Il faut mettre un peu d'ordre dans la tête. L'ordre ! Qui parle d'ordre ? Eux réclament l'ordre. D'ailleurs de quoi t'accusent-ils ? de « troubler l'ordre public », de « porter atteinte à la sûreté de la Cité »...

Moha qui dormait dans son arbre fut réveillé par une violente secousse. Il se précipita et prit le chemin de la ville.

C'est mon enfant que j'entends, c'est son cri, je le reconnais, oui c'est sa voix brisée, sa voix étouffée. Vous n'entendez rien, vous ? Mais vous êtes sourds, sourds et lâches. Il nous appelle tous. Sa voix me parvient parfaitement. Il chante. Il nous tend la main. Son corps est usé par les ténèbres. C'est mon enfant. Ahmed, mon fils, mon petit fils, notre enfant. Rachid, ma tendresse. Ton chant vient de dessous les pierres. Ton cri sort de la nuit, apporté par le vent. Écoutez-moi, juste un moment... où allez-vous ? Pourquoi ne voulez-vous pas entendre la voix d'un enfant perdu dans les sous-sols du désarroi et de l'injustice ? On fait mal à son corps, on le découpe et on le recoud... Ils taillent dans sa chair et ils éteignent des incendies dans sa tête... Écoutez-moi, c'est urgent. Je ne suis pas fou. Je ne ris pas. Je suis triste et ravagé par l'inquiétude... cet enfant entre des mains gantées et des visages camouflés... c'est un oiseau qui a vécu dans l'arbre de ma mémoire, il est jeune et beau, il est pur et innocent... Fils de la forêt, fils du zinc et de la poussière... Ah! quel malheur! Personne ne m'écoute; je ne vais quand même pas me mettre tout nu pour me faire entendre. Non. C'est trop. Ce n'est pas permis.

Ah, je vois : c'est la radio qui les empêche d'entendre. La voix de la chanteuse est insolente; elle hurle et couvre la voix de l'enfant. Quand ce n'est pas la chanteuse, c'est le speaker. Il hurle lui aussi; il raconte des histoires, des histoires futiles, juste de quoi empêcher que les cris de mon enfant n'arrivent aux oreilles du peuple. Le peuple! J'ai dit le peuple? Non, c'est une erreur! Le peuple n'est pas celui qui reste sourd aux appels d'un enfant prisonnier des pierres lourdes et humides. Le peuple, lui, sait écouter les voix souterraines, les voix enterrées avec ruse, la nuit, en l'absence des étoiles, sans témoins. Alors c'est la foule, la horde qui vend et achète le vent et les sables? Non! Tenez ma djellaba, faites-en un rêve d'argent, vendable à l'infini, rentable pour toujours. La djellaba du fou est bourrée d'imprévus, elle apporte l'argent et la tempête; prenez-la; que chacun l'utilise pour le rêve de sa vie, pour réussir ses affaires; vous êtes mieux faits pour les affaires que pour la danse. Moi, je danse, je fume de l'herbe séchée et je laisse pousser ma barbe... je sais, mon enfant danse et rit avec moi. Il est fou. Il échappe ainsi aux mains gantées de la mort. Il voyage dans le pays et chante avec les bergers. Tant que je l'entends, je peux être tranquille. Ils lui font mal, mais sa souffrance, il la défigure, il la leur laisse entre les mains et s'en va dans les vergers de l'amour. Je l'entends; je le vois. Viens que je caresse tes cheveux bouclés; viens que je regarde tes yeux noirs, noirs et immenses. Je m'en vais. Je pars sur un autre cheval. J'ai rendez-vous avec mon enfant dans la prairie. Vous, restez-là, mesquins dans vos calculs, petits dans vos projets, nuls dans vos ambitions. Attachés à la pierre; attachés à la peur. Sans honte. Sans capacité de rire et de danser. Allez, courez à votre commerce. Courez et ne vous retournez pas. L'astre moqueur a dit. Non, il n'a rien dit. Il a autre chose à faire. Il tend l'oreille et entend le bruit des arbres qui se déplacent. Ils avancent chaque jour un peu plus. Le temps vous échappe; il tourne en rond dans vos têtes et moi je rigole. Je regarde le ciel, je vois une armée de sauterelles mécaniques envahir le continent. Mais ce n'est qu'un mirage, une vision de plus de ma folie, une phrase échappée à mon délire. Regardez un peu plus la mer et apprenez à y lire votre destin. C'est facile. La mer écrit lisiblement. Elle change mais il suffit d'être attentif. Pourquoi diable vois-je ce que vous êtes incapables de voir? Peut-être parce que vous êtes trop bien couverts, trop bien emmitouflés d'habits de laine importés. Votre peau se ferme à tout message, à tout appel. Elle se ride mais ne s'ouvre pas. Faites comme moi. Dépouillez-vous, allez nus à la mer, allez nus à la forêt et au ciel. N'emportez plus votre argent avec vous. Laissez tout cela dans la rue et venez danser sur les cimes.

Mon enfant!
Je déterre les morts
et j'arrive...

On l'appelle Moha. Moha la confusion. La sagesse et la dérision. Suivi par les enfants, il court dans la ville comme un vent de sable. Moha est l'enfant qui n'est pas mort. Il n'aime pas les adultes.

Qu'est-ce qu'un adulte comprend au soleil couchant ? Il est rigide comme la sécurité, ferme comme le béton. Je n'ai plus de maison. Le béton m'a expulsé. Oh! il ne faut pas exagérer! Je dors n'importe où. Non, pas dans la banque. Mais sur les plages. Je surveille la lune et je survole le territoire. C'est la lune qui fait les vagues. Mais les vagues ne font pas assez d'écume. Tu connais, toi, le secret des vagues ? Elles vivent et meurent sans trahir le temps. J'ai tout appris dans la rue. Grâce à la paresse. Je tisse les rues et habille les âmes nues. C'est mon métier. Je vais de rue en rue. Je les joins par le même fil. Le fil de mes pensées. L'éclat de mon rire. C'est comme l'arbre. Il a des racines partout. Oui, c'est vrai! Que comprend l'âne au gingembre ? Et l'homme à l'écume ?

Tu as une cigarette ?

Alors je te dis que la sécurité c'est toujours militaire. L'argent, c'est de l'or. La santé, c'est beaucoup d'argent et d'or. La foudre. Tu as déjà vu la mer foudroyée ? C'est la lune qui s'énerve. Moi ? Je suis fils de la lune. Des fois je ne suis qu'une étoile. Je circule dans le ciel limpide et noir. Tu sais, il a encore acheté des immeubles, des maisons, des banques. Il est obèse. Il s'est enrichi pendant la guerre. Il achète tout. Mais la mer, ça lui échappe, du moins tant que je suis là. Il est avare et sent mauvais. J'ai ma propre armée. Je donne l'alerte une fois par mois quand le cheikh préside la prière à la grande mosquée. On ne veut pas m'entendre. Un tremblement de terre n'a pas suffi ! Le prochain ce sera l'enfer. Tu vois comme ils courent pour amasser l'argent... Ils sont déjà bossus. L'argent. L'argent. Ça rend fou, il paraît... Et pourtant je suis pauvre... Mais je sais rire.

Tu as une cigarette ?

Moha prit le chemin de l'arbre. Aimer l'arbre. Aimer la source. Être l'arbre et la source. Être l'eau et cette terre. Être un corps fertile et un ciel clément. Moha marchait, laissant échapper de sa bouche des papillons fous. Derrière lui, des enfants. Ils le suivaient sans rien dire. Ils étaient sûrs d'une chose le chemin de Moha mène à la porte du paradis (Moha est veilleur de nuit au paradis). Au bout de la ville, un dôme blanc et une jeune fille voilée. Nue sous son voile. Elle s'est enfuie de la maison. Elle savait que Moha la comprendrait. Moha entend les voix les plus profondes. Elle habitera l'arbre et sera source pour la terre ocre. Moha balbutiait le jour et les nuages. Il regardait le ciel et lançait une poignée de terre. Il disait :

J'habiterai ce soir le corps tendre de la mort et donnerai mes yeux à la gazelle. Que le ciel se déchire et que les étoiles viennent à mes pieds. Je suis seul. Je suis un homme faible. Mon pouvoir est dans les mots; et les mots sont traîtres. Je parle. Je parle et rien ne change. Rien ne bouge. Peut-être l'argile. Les murs sont ébranlés et la tendresse est lointaine dans l'océan. Je regarde le soleil et je ne vois rien. Une clarté sans amour pour le regard innocent. Un rivage sans enfants et moi abandonné par la chamelle. Mon destin est confisqué par l'araignée de mon enfance. C'est drôle! L'araignée avec ses fils et sa transparence me rappelle quelque chose qui serait l'âme. J'ai vu l'âme d'un enfant monter vers le ciel. C'était une araignée blanche et transparente. Légère. Invisible. C'était le sourire de Satan. L'araignée, c'est aussi mes souvenirs amassés, ma mémoire retirée dans l'argile et le bois. Mon chemin est désert. La route n'existe pas. Je marche et je sais qu'elle m'attend. Elle sera là, dans l'arbre de mon enfance, l'arbre que j'ai planté il y a plus d'un siècle. C'est une demeure pour le silence, un petit palais où la mort se mord la queue. Mon lieu privilégié pour l'absence. Je ne serai pas seul cette lune. Mon enfant sera là. Voilée et pure.

Quelle pierre le ciel a laissé choir sur nos têtes! Lourde et poussiéreuse. J'irai prendre le miel et le beurre rance sous le dôme. Ce soir les chats iront dans la forêt. La forêt! Mais il n'y a plus de forêt. Il n'y a ni forêt ni désert, seulement une prairie plantée de zinc et de miroirs brisés. La ville, depuis qu'elle s'est enrichie, a vomi les hommes pauvres qui se sont retrouvés dans la périphérie de la vie. Ce sont mes enfants. Je ne suis pas leur père, je suis le ciel qui les a enfantés. Ma peau est large. Elle contient des siècles de tendresse et de cristaux. Autour de la prairie de pierres et de boue, ils ont élevé un mur. Une muraille légère. Une enceinte transparente. Une ceinture autour de la pauvreté. Tant de corps dépossédés. Tant de nuits sans chaleur, pas même une étincelle pour briser l'astre. L'astre moqueur. Mais le mur est une porte ouverte sur la mélancolie. Non, ne parle pas de mélancolie. Tu vois ces enfants sortis d'entre les pierres : ils ne sont pas tristes. Ni désespérés d'ailleurs. Oui, mais quand on vous confisque la vie, vous n'allez tout de même pas vous amuser à espérer ? L'espoir est un malentendu. Comme la nuit. La nuit, au moins, peut vous envoyer à la gueule ses silences. Il n'y a rien à dire. Vous prenez un linceul de terre pour vous couvrir et vous vous taisez. Un siècle et plus. Non, laissez l'espoir pour d'autres. Au moins, mes enfants naissent avec la mort épinglée sur le front. Avec en plus le sourire de l'enfant. Pas la moindre innocence. Les petits corps se frottent à la pierre et au vent. La mort, une espèce de suicide reporté, en réserve, comme un rire recommencé. Si vous rencontrez mes enfants, ne fuyez pas.

Laissez-les vous dépouiller un peu. C'est une cause juste. Riez ensuite avec eux. Vous les reconnaîtrez : ils ne sont pas propres. Ils ne sont pas blancs. Ils portent les habits des autres. Des habits trop larges, trop longs. Ils vivent avec les vipères et couchent avec les chèvres. Ils vous feront pleurer et ensuite ils vous prendront tout. Je ne vous demanderai pas de vous en méfier. Mais approchez-vous et laissez-vous faire. Vous mériterez alors ma bénédiction et peut-être un morceau de l'arbre, un bout de paradis. Celui qui ne les aime pas ne sait pas ce que lui réserve l'orage. Je suis maître de la foudre. Celui qui ne se sent pas à l'aise dans sa tombe n'a qu'à monter dessus. Celui qui ne craint pas mes prières ne saura pas de quel bleu est fait le ciel. Celui qui ne me croit pas ne verra pas le retour de Mahdi. Mahdi! Où es-tu ? Je t'ai envoyé un cheval et une enfant. L'enfant a des ailes. Ici on aime bien les retours. Tu auras des dattes et du lait et une belle couverture en laine tissée par les femmes de la montagne. O Mahdi! Que de mensonges depuis que tu es parti! Les nouvelles du pays ne sont pas bonnes. Nous manquons d'huile, de courage et de colère. La terre est sèche, et les pauvres sont de plus en plus libres, car ils n'ont plus rien...

La BDI (Banque de l'Indépendance) a une agence dans le quartier général de Moha. Une petite agence. Une affaire de famille. Moha connaît tout le monde, les agents comme les clients. Il vient souvent parler avec les gens. Il dit ce qu'il pense. Il le répète, étale ses arguments, simplifie, fait des dessins par terre avec un morceau de charbon. Il arpente la banque, fait des démonstrations en l'air.

Des millions d'argent séparent les hommes. L'argent tue. Il tue la vérité. Il est aveugle. Non! comprenez-moi bien, il ne rend pas aveugle; les gens voient, mais piétinent un verger de fleurs et d'oiseaux. Ils battent les enfants et bientôt ils vont égorger les fous. On a voulu me battre l'autre jour. J'ai enlevé ma chemise et leur ai dit : « Frappez! Frappez! » Ils ont ri et puis ils sont partis. Sur ma poitrine, j'avais quinze amulettes, deux chaînes en argent, une tablette d'écriture et quelques signes venus des mers. Ils ont eu peur. Les millions d'argent vous obsèdent. Vous les comptez et ils vous donnent la fièvre. Non, mieux, la diarrhée. Une diarrhée fiévreuse... Le jour peut se lever souvent, vous ne le remarquerez pas! Vous avez perdu la nuance et le goût de l'herbe. Ah, la terre, c'est plus beau que l'argent. L'eau. L'eau. Une source pour le temps. Mais dans cette banque, il n'y a pas de source. Il y a du marbre et de l'acier. Banque de l'Indépendance! Ah, l'indépendance! Même pas capable de faire venir la mer à Tlemcen, la mer à Marrakech. Et pourtant, je l'ai attendue sur un cheval, sur un chameau. Il m'est arrivé de la voir s'approcher dans un flou de nuages peints. J'ai vu les vagues déferler sur la grande place et l'écume joindre le ciel. Non, la mer est restée à sa place, chez les pêcheurs, loin des oliviers. Oh, je sais, l'indépendance nous a tant promis. Une montagne. Une cascade de rires fous. Remarquez, l'indépendance nous a donné des passeports, oh, pas à tous, disons des cartes d'identité avec matricules et chiffres codés. Elle nous a donné un nom, un peu de dignité, mais la dignité on ne l'a jamais perdue, même dans les moments de crise. L'indépendance! Elle a nationalisé le profit et recouvert le zinc des baraques de couleurs nationales... Non, croyez-moi, je ne suis pas traître à la terre et à la lettre. Venez tous à la banque; retirez votre argent. D'accord, il n'y aura plus de sécurité, il n'y aura plus de banque, et moi je n'aurai plus mon paquet de cigarettes quotidien. Ah! Ha, ha... Vous connaissez mon marché : je vous laisse en paix; faites vos affaires, amassez de l'argent, achetez des perles, partez en pèlerinage... Mais n'oubliez pas Moha.

Ne m'oubliez pas! C'est simple, tous les matins je passerai vous voir, je vous parlerai un peu et vous me donnerez alors un paquet de cigarettes américaines. J'aime les cigarettes au goût lointain. Cela donne un esprit encore plus confus. J'aime ne plus penser. J'aime avoir d'énormes plages de silence dans la tête. Car moi, si je ne dors pas, c'est à cause de vous, oui, de vous! Vous êtes inconscients. Vous ne connaissez rien de la vie. Vous êtes là à compter l'argent des autres. Dans un linceul de résignation. Mais moi, je vois tout. Je vois loin. Toi par exemple, si tu continues comme ça, tu auras une bosse dans le dos, et ta femme partira avec ton cousin le contrebandier. Et toi, si tu ne t'arrêtes pas à temps, le gros féodal te montera comme une monture, comme une bête. Il te donnera ses babouches à lécher... peut-être qu'à l'occasion il en profitera pour sodomiser ta femme... et tu baveras. Ils ont tout. L'argent et la force. L'argent et la brutalité. Ils n'ont pas honte. D'ailleurs ils sont partout. Ils ont des usines, des banques ici et des fermes là-bas. Le vendredi ils font la prière. Toi aussi, toi, le brun aux yeux clairs, tu es mon amour. Tu es trop doux pour réagir. Je t'aime bien, mais tu me déçois. Au moins toi, tu sais sourire. Tu ris. Tu ne sais faire que ça. C'est déjà pas mal. Après ton examen « d'études élevées », tu n'as rien trouvé à faire que venir compter l'argent... Tu t'es marié; tu as deux enfants et la banque t'a donné un prêt pour construire une maison. Ta femme aussi travaille. Avec toutes vos dettes, vous êtes devenus des esclaves. Vous êtes tous ligotés. Pas amusants. Non, vous n'êtes pas drôles. La vie c'est quoi ? En tout cas ce n'est pas cette parodie ficelée à l'attente. Je vais vous dire : à chaque fois que je parle à l'arbre, j'apprends des choses. Nos entretiens sont secrets. Hier, l'arbre m'a dit que cette année la récolte ne sera pas bonne. La sécheresse et puis le vol. Il y a trop de voleurs dans ce pays. Ils volent légalement. Tout est en règle, ou presque. J'ai dormi l'autre jour avec une chèvre. Elle s'est plainte. Mais vous, vous aimez ce qui est propre et clair. Ni le crapaud, ni la chèvre, ni l'arbre ne sont pour l'ordre et la clarté. Les gamins non plus. Je sais. Je parle trop, je dis et redis les mêmes choses. Mais dites-moi pourquoi le soleil s'acharne sur nous ? Pourquoi la lune nous trahit et nous renvoie à chaque fois au tribunal de dernière instance ? Pourquoi la mer ne rejette pas nos cadavres ? Pourquoi les nuages répugnent à nous protéger et pourquoi tant d'étoiles pâlissent quand elles s'arrêtent au-dessus de nos têtes ? Pourquoi la police tire sur les manifestants ? Pourquoi la mort nous emmène sur une barque vers l'horizon ? Ah! vous ne comprenez pas ce que je dis; je vais être plus clair : pourquoi vous élevez les araignées dans le fond de votre gorge et vous faites danser les vipères ? Pourquoi vous ne mangez pas du foin comme nos ancêtres issaoua ? Eux n'avaient jamais peur. Ils savaient se fendre le crâne avec une hache et boire le sang de leur cervelle. Ils savaient rire et tourner en dérision la mort. La terre tremblera bientôt. Je viens de l'apprendre. J'en ai la certitude, une certitude certifiée par mes chiens et mes chattes. Je vous verrai nus dans la rue, dépouillés de tout, apeurés et en larmes. Vous chercherez l'ennemi pour l'embrasser. C'est le jugement dernier qui approche, car ce pays, ces pays, vont à la mer orageuse. Ils vont vers la dérive et la terre maudite. Des gens mourront d'indigestion. L'or est difficile à digérer. Manque de pudeur. J'ai honte, oui, moi, Moha, fils d'Aïcha et de la Révolution, fils de la chamelle égarée dans le désert, descendant de l'araignée noire vénéneuse, voisin de l'herbe amère et du ciel trouble, fils de la pierre et de la terre glaise, moi le fou, moi le pauvre, je suis nu devant les hommes et devant l'époque, face à la mer, face au feu qui vous menace, moi le sage, l'homme perdu, l'homme possédé par les djinns (mais qu'on n'ose pas enfermer parce que j'ai des liens secrets avec tous les magiciens de l'Inde et des pays enfouis sous les terres), moi, j'ai honte et je ne sais quoi faire de plus que de me déshabiller dans cette banque et vous montrer la gale sur ma peau, cette gale c'est la honte que j'ai de vous et j'ai peur, peur pas pour ma petite vie qui a dormi un siècle et s'est réveillée à temps, mais j'ai peur de vous voir pendus à l'aube de tous les massacres, vous vous pendrez les uns les autres car vous ne saurez pas d'où vient le vent de la démence qui vous emportera comme un rire les nuits d'hiver, j'ai peur et je crie, je vais consulter les saints : ils me transmettent des messages de détresse. Vais-je hurler dans les champs stériles de votre sommeil ? J'entends la voix de Mahdı. Il paraît qu'il va revenir un matin sur un cheval fou, un cheval blanc. Il va surgir comme le prophète, un prophète armé et vengeur. Mahdi est une vieille légende pour vous faire attendre. Attendre toute une vie. Attendre la mort, assis au soleil, les jambes croisées, le dos contre le mur, la tête entre les mains. La mort viendra comme le vent léger du matin. Elle n'aura même pas de cheval. Elle viendra avec le bruit et les larmes, sur les routes, dans les couloirs des hôpitaux encombrés de corps en déroute. Elle viendra en riant, comme d'habitude. Alors l'argent, les millions d'argent, les millions à crédit, les villas et les ceintures en or... Vous essaierez à la dernière minute de tout emporter, de tout avaler, mais vous n'aurez pas le temps. Eh, quoi! vous aurez vécu! Une vie stable et banale traversée de fils d'or et de larmes d'impatience. Une vie quelconque, avec des enfants et des matelas en éponge, avec des couleurs fades ou violentes, avec des certitudes et beaucoup d'égoïsme. De la crasse. Nouvellement importée d'Europe et d'ailleurs. Vous aurez attendu le miracle: vous croyez tout ce qu'on vous dit, ou alors vous faites semblant. Vous étouffez derrière la vitre et vous vérifiez les factures. La mort, elle, passera mais sans laisser de factures. Pas de traces mais des rumeurs. A aucun moment vous n'avez eu la curiosité d'aller remuer l'étang gelé de votre quiétude. Alors, vos enfants, peut-être... Mais la peur vous étrangle, comme la pitié et la vipère, non, c'est la vipère de la pitié qui s'enroule autour de votre cou et vous empêche de respirer, vous croyez que c'est un mauvais rêve, un simple malaise dû à la chaleur, un incident dans une vie pleine, vous croyez à tout pourvu que la main se lève et l'animal se retire... Venez avec moi. Suivez-moi au fond des bois. Dormez avec moi et écoutez la forêt. Tout me parle; je ne fais que transmettre; je ne suis qu'un messager. Quand je vais dans les beaux quartiers, au lieu de m'écouter, la bonne et les domestiques me donnent à manger les restes. Humilié ? Jamais. Indigné ? Je n'en suis plus là. Alors je donne à manger aux chiens de passage. Les chiens de la villa s'énervent et aboient. Ils rouspètent contre la présence d'autres chiens, car j'ai un pacte avec ces bêtes. Je ne vous dirai pas de quoi il s'agit, car je sais que parmi vous, il doit y avoir des mouchards, des minables qui ne comprennent pas ce que je dis. Imaginez un instant les propriétaires des villas-jardins tournants, mordus par leurs propres chiens, contaminés par la rage à l'état pur que je porte en moi depuis que les Français ont blessé notre terre, il y a bientôt un siècle et demi. Je saurai diriger l'opération : il faudra préserver les enfants, même enfants de ventres corrompus, je saurai leur proposer une autre vie, une autre promenade à travers le temps et la prairie des miroirs...

L'indépendance. Oui, pour certains ce fut une affaire, pour d'autres une question de vie ou de mort, une question de dignité, un homme sans identité, un homme sans terre, un peuple sans parole, des enfants sans avenir... non, ce n'est pas possible de vivre expulsé de l'histoire... alors des hommes ont pris les armes... des hommes sont morts... d'autres se sont enrichis... tu vois, c'est curieux... Moi, j'ai cent quarante ans. J'ai tout vu, tout connu. Je ne fais que passer. Après la catastrophe, j'irai me rendormir un siècle ou plus, cela dépendra du calendrier des saints et des crapauds. Mon maître habite, pour le moment, un marabout juif, mon maître des temps difficiles. Je le vénère comme je vénère l'eucalyptus qui le protège. Donc, après le soulèvement de la faune et des astres, après la fureur des hommes nus, j'irai retrouver mes racines et mes poèmes chez le saint juif Dormir un siècle! Un siècle de silence et de profonde solitude! Un siècle semé de rêves interminables à la lumière de l'aube éternelle. Dans la grotte, le temps caresse mon front; les oiseaux viennent faire leur nid dans mon corps. L'herbe douce, l'herbe très verte, pousse sur ce corps: elle me couvre de toute sa tendresse. Les fourmis n'osent pas m'approcher. Une fois, une bande de fourmis a essayé de me manger un doigt. Elles ont été affreusement malades. Quelle histoire! Elles s'étaient trompées de corps: elles ont vomi et certaines sont mortes. Je me demande si je vais assister au tremblement qui va s'emparer du pays. Je vais suivre les opérations du haut de l'arbre. Je vois déjà toutes ces richesses étalées en plein jour, face à une horde d'hommes nus qui mordent dans la terre et qui s'engouffrent dans les mosquées. Des richesses amassées vite, dans le vertige et le tourbillon des jours fastes. L'ordre, la force, la loi, les banques les protègent. Moi, seuls les esprits me protègent; je tiens à vous le dire : je suis seul. Ma solitude est absolue... Je suis témoin de trop de choses pour me taire... je parle, je parle, je hurle, je chante et je fume... je n'ai pas besoin de manger... je fume pour ne plus penser à la honte... je vais et je viens dans cette ville maudite par l'argent, le mensonge et la lâcheté; ville d'acier et de vices inavouables, je crache sur cette ville et sur ceux qui se sont emmurés dans des villas dorées qui tournent le dos à la mer. Quelle honte! Ne pas voir la mer, mais reproduire le bruit des vagues dans une piscine verte et bleue, dans du béton, dans le faux et la lumière du néon. Ville qui tourne le dos à la mer, abandonnant ses racines dans des terrains vagues; des racines calcinées; ville suspendue, reliée par un fil à l'Occident. Ils ont élevé un mur, un mur très haut, pour cacher les baraques de mes enfants, les pauvres, les nus, les oubliés. Ah! que la bêtise est cruelle! Elle annonce bien des crimes et des erreurs. De ces baraques, de ce zinc et de cette boue, un homme se lèvera. Ce ne sera pas Mahdi. Mais quelqu'un de plus terrible, car lui, le retour des prophètes, il n'y croit guère. Cet homme, ce sera un enfant. Je ne serai pas là ce jour-là pour calmer sa fureur. Vous serez seuls face à un enfant armé. Il saura vous trouver, même si vous vous cachez dans vos trappes, dans les pierres, dans les buissons de votre maison heureuse. Vous serez seuls et désemparés, seuls et sans foi, car même Dieu ne vous ecoutera pas, même son prophète vous lâchera. Je vous le dis : cet homme, ce sera un enfant né du mépris et du froid, né de l'attente et du siècle caché sous les flots d'une mer ravagée; ce sera une forêt, une forêt immense qui marchera d'un pas lent et sûr, elle avancera avec ses animaux sauvages et ses arbres lourds, elle avancera comme une symphonie à l'heure de la vengeance suprême. Ce sera un mouvement beau et lent. Je le sais. C'est tout.

Mais vous ne m'écoutez pas! Vous êtes absents; vous avez enfoui votre tête dans la masse des billets de banque; vous perdez déjà l'ouïe, bientôt vous perdrez la vue et ensuite vous deviendrez impuissants, vos femmes vous quitteront, pas toutes hélas, mais certaines rejoindront la forêt en marche. Vos enfants vous quittent déjà, mais vous ne le savez pas encore...

Ni Aïcha, la petite domestique, arracnée à son village ni Dada, l'esclave noire achetée au début du siècle au Soudan. n'avaient droit à la parole dans la maison du patriarche. Muettes. Exclues.

Elles parlaient cependant : Aïcha, la nuit, dans le bois; Dada. le soir. sur la terrasse de la maison.

C'est à Moha que parviendront leurs paroles. C'est encore lui qui les rapporte.

Aïcha était muette. Ainsi en décida le patriarche. Muette. Ce sera son destin. Des yeux ouverts sur un cirque de fureur. Des mains retenues sous la robe.

Et la nuit était son territoire.

Le lieu de ses passions. L'espace de sa folie. Muette et efficace. Elle sera le pilier de la grande maison, le petit palais que le patriarche construisit sur la rive droite du fleuve. Un fleuve qui draine les égouts.

Aïcha était une paysanne. Son père la louait au patriarche. Elle avait douze ans quand elle fut engagée pour faire le ménage. Non. Pour apprendre à faire le ménage. Sa vie, un destin craché dans un seau d'eau sale. Elle avait des poux sur la tête et sentait la terre sèche. Ses yeux. Noirs. Très noirs. Des yeux traversés de lumière. Un regard perdu, affolé, qui ne sait plus où se poser. Elle avait peur de faire mal aux objets. Son regard les fuyait. Aïcha ne s'était jamais vue dans un miroir. Elle fut lavée. On brûla ses habits de paysanne pauvre. On l'habilla. Pas de neuf, mais de robes d'une des filles du patriarche. Aïcha venait d'avoir ses premières règles. Elle eut peur. Elle ne parlait pas. Elle ne pouvait pas répondre. Elle ne voulait pas répondre. Elle restait figée des heures devant sa maîtresse qui oubliait de lui donner du travail. On oubliait aussi de lui donner à manger. Aïcha n'existait pas. Les autres bonnes l'ignoraient.

Elle lavera les carreaux. Petite et légère. Comme une abeille. Elle volera d'une fenêtre à une porte. Elle enlèvera la poussière. Elle s'éloignera du bruit du matin. La femme du patriarche crie pour parler : elle lance des ordres à la petite armée de domestiques.

Aïcha s'endormait tard et ne se levait jamais à l'heure. C'était sa consolation : être oubliée, c'est aussi pouvoir disposer du temps.

La nuit, elle partait. Elle s'envolait. C'était une hirondelle de toutes les saisons. Elle partait dans le bois, se faisait du feu et dansait. Elle mimait sa vie devant l'arbre. Des fois elle s'endormait près de l'arbre. Face au feu, elle jurait fidélité à son petit univers. Quelques pas de danse. Un rire dans la nuit. Un clin d'œil aux étoiles les plus proches. D'ailleurs elle croyait qu'on pouvait les toucher, les cueillir comme les fruits du jardin. C'était son innocence. Une fille née de la terre et de la pierre, un jour sans pluie, un soleil sans tendresse.

Fille du silence, elle retrouvait le bois, son miroir. Née du silence et de sa grande violence, Aïcha avait besoin de retrouver la terre, l'herbe et la nuit. Elle aussi tournait le dos au temps. Elle ne savait pas compter. Une saison succède à un orage. Une tempête annonce la parole du ciel. Elle aurait aimé rester plus longtemps dans le bois; son corps avait froid. Elle se dit :

> Quand la lune arrive là, j'ai froid. Quelque chose me manque. Une étoile peut-être que je mettrais entre mes seins. C'est aussi la faim. Mon corps manque. Il manque de beaucoup de choses; mais j'ai pris l'habitude. Tiens! l'arbre laisse échapper un éclair. Je ne sais quoi répondre. Qui suis-je ? Vraiment qui est cette fille qui parle dans ce corps frêle et que le vent emporte comme une feuille d'automne ? Où est le ciel ? C'est lui qui répond à mes questions, d'habitude. Où est le cheval qui

court dans ma tête ? C'est moi le cheval ? Et le ciel, pourquoi s'éloigne-t-il quand j'ai besoin de le toucher ? C'est comme mon grand-père. Il n'aimait pas prier. Je l'ai surpris un jour dans les champs en train de manger en plein jeûne du Ramadan. Il me disait que le ciel est loin et que notre patrie éternelle c'est la terre. Il partit un matin sur un âne. Il n'est jamais revenu. Des gens disent qu'il est devenu cheval ou jument et qu'il laboure les terres arides. J'aimais bien mon grand-père. Il se mettait souvent en colère et injuriait le ciel quand il tardait à pleuvoir. Il injuriait aussi les paysans qui se laissaient faire par l'Autorité, les paysans résignés qu'on dépossédait, qu'on exploitait au nom de la patrie et au nom de Dieu. Mon grand-père était respecté parce qu'il disait la vérité. Un fou. Les enfants le suivaient. Il n'aimait pas ses fils, surtout mon père qui a le premier émigré en ville. Toutes mes sœurs travaillent en ville chez des familles. Mon père. Je crois qu'il m'a vendue. Vendue ou louée au mois. Qu'importe. Cela fait une bouche de moins et une rentrée d'argent en plus. Oh, j'ai un tout petit corps. Un peu d'herbe et quelques olives me suffisent. Enfin, j'ai été l'objet d'un marchandage serré, paraît-il. Si mon grand-père le fou était là, il l'aurait empêché de faire tous ces trafics. D'ailleurs mon grand-père a réuni un jour les gens du village et a publiquement renié son fils.

C'était terrible, parce que le respect des parents c'est comme la religion. Il a même dit, s'adressant au ciel :

Je te renvoie cette calamité qui n'a pas été capable de garder sa part d'eau, même pas capable d'être un homme dans le bois. Tu peux le reprendre. C'est un fils indigne et un père indigne qui vend ses enfants aux puissants de la ville. Je ne prie pas Dieu. Ni le Diable. J'irai pisser tous les vendredis sur sa tombe, car je vivrai sa mort même s'il faut attendre deux siècles. J'ai assez de siècles en réserve pour assister à toutes les catastrophes. Ne vous approchez pas. Éloignez cette peau de chèvre vide. Elle n'a pas de petit lait. Ne croyez pas que vous pourrez m'enfermer. Je suis fou. Comme je suis seul à être fou, c'est que je dois avoir raison. L'unanimité m'inquiète. Vous êtes tous d'accord pour abandonner votre part d'eau et vos terres pour aller dormir sur les trottoirs. Vous êtes tous du même bord : l'illusion petite. Alors j'aime ma folie et je m'en vais vivre avec elle. La haine donne une soif terrible. Ce sera la chute. La chute de Moha dans ses propres phrases. Je tomberai, amas de mots et de verbes dans un discours. Vous n'y verrez rien, car ma parole efface ses propres traces quand elle avance. J'irai m'entourer d'enfants. Et si ma parole me lâche en ville, je saurai la déjouer. Je saurai la remplir de poison pour vous et de dynamite pour les citadins. Je m'en vais répandre le soleil et la rumeur pour que la mer me parle houleuse, pour que la source m'écoute, pour que les hommes sortent de leur trappe. Je m'en vais danser sur les vagues et grogner comme le fauve qui mange sa progéniture. Vous ne voulez plus de cette terre comme avenir, mais c'est cette terre, c'est cette mère digne et fière qui ne veut plus de vous. Indignes de la pierre et de l'olivier. Qu'importent le temps et les rides. Si cette terre vous vomit, laissez-la à vos enfants. Ils sauront l'aimer et peut-être même mourir pour elle. Je sais, nous n'avons pas besoin de martyrs, mais nous avons besoin de blé et d'eau. Allez-vous-en et laissez les enfants sur l'aile de l'oiseau. Vous sentez le vent d'est venir. Vous avez froid. Vous avez peur. Il vous poussera loin de la honte. J'aime le vent quand il redouble de violence, quand il renverse le soleil et détourne les étoiles. J'aime le vent qui emporte les mouches et le mépris. Je l'entends venir; je me prépare comme l'acteur qui maquille ses masques. Un peu de volonté, ô vous que la lune a damnés! Un peu de volupté, ô vous, femmes absentes, femmes emmurées, femmes envoyées aux champs l'enfant dans le dos, femmes du silence; ô femmes, pourquoi vous cultivent-ils dans les ténèbres avec des sexes en bois, sans caresses, sans tendresse ? Célébrées par le chant, méprisées par le temps et l'oubli. O femmes, suivez mes pas, suivez-moi dans la folie d'amour et de rire. Nous vivrons l'amour. O femmes, ils vous écartent les jambes depuis des siècles. Ils ne parlent pas. Ils ne murmurent rien. Votre cri est absorbé et vos jambes posées sur leurs épaules. Munissez-vous de lames de rasoir et déchirez sans pitié leur visage et leurs certitudes. Mais moi, j'entends vos cris. La nuit je me réveille en sursaut et je pense à vous. Insatisfaites, cultivées, labourées par des siècles de silence et de brutalité légalisée par l'Autorité suprême. Quand je pense à tous ces corps cachés, battus, défigurés par l'absence et le manque... Pourquoi ces mains sont-elles fermées à la caresse ? A quoi bon célébrer le cérémonial de votre propre négation ? Votre corps est annulé et vous continuez à être de la fête. Vous dansez pour faire bander des brutes; des gars heureux de se masturber quand vous faites trembler le ventre et les fesses. En plus, ils brûlent de l'encens. Quelle ironie! Le jour file entre vos doigts et vous cachez vos tatouages. Vous travaillez la terre le jour et la nuit vous posez vos jambes sur les épaules de l'homme. Vous transportez les bottes de foin sur le dos pendant que l'homme vous devance sur son mulet. Ah, le ciel! Je ne comprends rien à l'ironie de la lourdeur. Et le plaisir ? Vous avez décidé de fermer les yeux et de tourner le corps au bord du précipice. Vous êtes toujours prêtes pour les travaux dans les champs ou pour faire la guerre. C'est vrai, vous avez fait la guerre contre les Français. Vous étiez utiles et courageuses. Vous avez fait des opérations mémorables. Quelques prénoms de femmes sont restés sur front de nuage. Après la libération du pays, ils ont fermé les murs et verrouillé les portes. Même les terrasses vous sont à présent interdites. Zone extrêmement dangereuse pour la sécurité du morceau de bois. Rions. Rions. Moi je ris et je le fais savoir. Il y a quelque chose de fêlé entre l'homme et la femme dans notre société. L'Islam. On dit que c'est écrit dans le Livre. Non. Ils font dire ce qu'ils veulent au Livre. Remarquez, il y a des choses révoltantes dans le discours. Les femmes seraient inférieures aux hommes. C'est dit et entériné! Non. Moi je n'entérine rien. Je regarde autour de moi avant. N'entérinons pas à la légère. Ni sérieusement. Les lois. C'est une vieille histoire. Je ne marche plus. Trop de combines. Oui, il y a quelque chose de malade entre l'homme et la femme arabes-berbères-kabyles... Un malentendu. Énorme comme le bateau qui m'emmena en Amérique. Ils s'abattent sur vous comme des sacs de maïs, parce que là est leur droit. Ils agitent leurs fesses, bavent par le sexe et par la bouche. Ils sont contents : le devoir conjugal accompli. Et dire qu'ils prient avant! Se mettre en direction de La Mecque pour une prière nocturne avant de pénétrer la femme qui n'ose pas se toucher. Quel cérémonial! Quelle honte! « La femme est un champ à cultiver... » C'est vrai. C'est un champ. Mais un champ vivant, en droit d'exiger autre chose que la fêlure systématique et semence brève. Ames sombres, incapables d'être perverses, incapables de se perdre dans un quelconque labyrinthe. Si Mahdi revenait... Déflagration. Tourbillon et vertige dans un territoire d'excréments... Je compte les lunes et les siècles. Bouches voraces. Des oreilles enfilées et des mains dessinées. Une myriade de talismans. Un peuple d'ombres. J'irai voir le mage. Il fait semblant de prier. Si, si! Il semble. Car il aime la paresse et la caresse. Qu'elle vienne du vent ou de l'étranger. C'est une question de parfum et de liberté. Le mage ne dispose pas de son corps. Il lui échappe quand il se cache pour déféquer... Son corps le torture. Mais il aime bien son cul. Il a toujours un petit miroir dans la poche pour voir son anus en train d'expulser les excréments. Oh, moi, je dis tout; je suis assailli de messages et d'informations. Je lève le voile sur la prairie et je vois un terrain.

Je vois un terrain vague semé de bouteilles en plastique et de bris de faïence. Une terre qui a respiré la mort et expulsé le jour. C'est ici que mes enfants naissent et meurent. Ils meurent en riant comme un peuple qui dépérit et qui se laisse prendre par l'araignée vénéneuse. Sur ce terrain ils ont posé des maisons en carton et en zinc. Il y a des trous. Il y a des failles. Dans les paravents. Dans la tête. Je parle d'un pays où il y a des failles et des ceintures en or. Je chante un peuple pour le moment absent derrière la muraille. Un peuple qui fera un jour avancer la muraille. Je dis un peuple non un rêve ou une image, un peuple vivant, qui connaît la patience et la fureur, un peuple imprévisible, il descend dans la rue avec ses gosses nus et ses arbres suspendus au ciel. Il y a des silences, des pages blanches, des moments où il ne se passe rien, il y a aussi des cris qui viennent de dessous la terre et qui ébranlent les certitudes de ceux qui ont tout prévu. Il y a donc ces terrains vagues où naissent et meurent mes enfants. Un bidonville est une brutalité faite à des hommes séparés de la vie. Une violence qui ne prévient pas quand elle éclate. Je vous le dis. Je vadrouille. Sans musique. Le corps plein de cris étouffés. Je vadrouille dans la jungle des mots et des pierres. Au-dessus de tout, l'orgueil. En bas, la pitié.

Ainsi parlait Moha...
Je n'ai plus froid. Le bois s'est réchauffé. C'est sa parole qui a fait taire les oiseaux. Ils l'écoutent. A présent ils gazouillent. Les feuilles bougent. C'est un petit vent du matin. Moha reviendra. Cette nuit peut-être. Si un jour il venait chez le patriarche, il ferait un très beau discours. J'aime ses colères. J'ai envie de voir le patriarche se baisser pour lui baiser la main. Il viendra un jour. Je le convoquerai une nuit au bois. Je lui parlerai de l'intérieur de l'arbre qu'il vénère. Il exécutera mes ordres. Il ne verra jamais mon visage. J'aime cette lumière; il ne fait pas nuit; il ne fait pas jour; c'est la lumière du songe et de la complicité. Étrange moment. Je frissonne. Je suis prise par l'émotion de cet instant. C'est le réveil tendre et lent des plantes et des choses. C'est aussi un peu l'amertume. Le moment de

rentrer à la grande maison. Le patriarche va se lever pour la prière du lever du soleil. Je cours salir l'eau de ses ablutions.

Moi, Moha, je vous dis :

Quand je ressens de la pitié, je faiblis et je perds le cours de mes pensées. La pitié, c'est la mendicité du regard.

La pitié! Il faut lui tordre le cou! Je vadrouille maintenant dans la jungle des hommes. J'en ai connu un. Il fait régulièrement la prière et l'aumône.

Il règne. Protégé par la bénédiction céleste, celle de Satan avec qui il entretient des rapports curieux. Il a, paraît-il, une relation mystérieuse avec Satan. Personne ne le sait. Mais moi, je l'ai surpris une fois dans la forêt en train de parler à un tronc d'arbre tout noir. Je sais que c'est le lieu privilégié de la trahison. Enfin! Il règne. Deux piliers : l'Islam et le fric. Il a fait son premier pèlerinage à La Mecque à dos de chameau. Il pouvait partir en bateau, mais il désirait souffrir avant d'atteindre le tombeau du Prophète. Souffrir pour mériter. Prier pour effacer. Tourner avec la foule pour s'oublier dans les bras de Gabriel, l'ange, ou partir comme le Prophète sur Borâk, le cheval ailé qui a monté au ciel. Le patriarche a souffert. Il a failli être piétiné mais il a marché sur d'autres corps qui n'ont pas pu résister à la foule, à la fièvre, à l'émotion. Au retour, il a rapporté des soieries, des diamants, de l'encens du paradis, des parfums d'Arabie, et une esclave noire, achetée au nord du Soudan. Le patriarche, qui a souffert, ne pouvait pas supporter une longue abstinence sexuelle. Après tout, c'est toléré : une façon de « lutter » contre la prostitution et d'empêcher l'adultère. Autant épouser une autre femme plutôt que d'aller se perdre dans les labyrinthes du vice!... Donc il a ramené une esclave. Elle s'appelle Dada. Ce n'est pas son vrai nom. On appelle Dada toute négresse ramenée d'un pays d'Afrique par un patriarche. Elle portait les bagages du maître et n'ouvrait jamais la bouche. Muette. Oui, elle aussi.

J'ai assisté au retour du maître. J'ai tout vu. Tout entendu. On l'attendait depuis un mois déjà. Toute la famille comptait les jours. Chacun avait sa petite méthode. On savait qu'il arriverait dans le mois parce que le voisin, parti trois semaines avant lui, venait d'arriver. Les préparatifs n'ont pas cessé. La maison lavée de fond en comble: les plafonds blanchis; le jardin arrangé; les tapis nettoyés; les matelas de laine refaits: le salon d'honneur fermé.. Les bonnes et domestiques étaient en état d'alerte. Prêts jour et nuit. La cérémonie devait être à la mesure de la réputation et de la fortune du patriarche. Ce retour, c'était l'événement qu'attendait tout le quartier. Il fallait du faste. L'épouse du maître installa un éclaireur à l'entrée de la ville, lança les invitations, fit venir des agneaux de la ferme, et attendit sur la terrasse.

Il est arrivé à l'aube. Tout le monde dormait. Ce fut une surprise assez amère. Dada déchargea le chameau et s'accroupit dans un petit coin du jardin. Fatiguée et apeurée. Elle ne levait pas les yeux. Elle s'était ramassée sur elle-même et attendait. Le patriarche avait maigri; épuisé par tant d'épreuves, il ne parlait à personne. Il appela Dada et s'enferma avec elle dans la salle de bains. Elle devait le laver, le raser. Elle le masturba aussi. Il poussa un grand cri de plaisir. Toute la famille accourut. Il battait Dada. Le soir, il coucha avec son épouse légitime. Ce fut un coït banal. Il se leva au milieu de la nuit et alla réveiller la négresse qui le rendait fou et furieux de plaisir.

Dada était belle. Esclave, elle appartenait entièrement au maître. Il la déplaçait comme un sac de plaisir. Il l'installait sur son sexe en érection comme on déposerait un objet à la mécanique parfaite. C'était son petit paradis semé d'interdits. Il lui bandait les yeux pour mieux se livrer à ses pratiques honteuses. Il la battait et hurlait de plaisir. Le patriarche avait ses manies : quand il s'enfermait avec Dada, c'était pour la grande transgression. Il en usait comme il voulait. Il l'obligeait à prier nue, toute nue. Au moment où elle se prosternait, il la prenait par-derrière en lui demandant de continuer sa prière. Dada pleurait souvent. A sa solitude se mêlaient la servitude, la honte et l'humiliation. Cet homme avait tous les pouvoirs sur elle, la vie comme la mort, la vente comme l'achat, la répudiation comme tous les désirs innombrables. Dada devait se soumettre ou mourir Mourir ou tuer. L'idée de tuer le patriarche l'obsédait. Le tuer et mourir. Elle ne disait rien; il lui arrivait de gémir, de pleurer en silence. Des fois, elle balbutiait des mots incompréhensibles, des mots de son dialecte, des mots de sa terre misérable. On ne comprenait rien. Personne ne se donnait la peine de vouloir la comprendre. Sur son visage s'étaient déposées une tristesse et une mélancolie hautes dans le ciel. Aucune colère dans le regard, mais quelque chose d'autre, quelque chose d'indéfinissable, quelque chose d'indifférent. Une indifférence difficile à supporter, un regard difficile à soutenir. Car derrière ce voile, il y avait une forêt, des incendies, des soleils et un siècle de longue et dure servitude. La résignation n'était qu'apparente. La haine et la violence étaient contenues dans ce regard lourd et insaisissable. Ainsi était Dada, femme vendue à une réclusion définitive. Elle venait du Soudan et n'avait plus de nom. La nuit, elle montait à la terrasse de la grande maison et racontait sa vie aux étoiles :

Je m'appelle Fatem-Zohra. Un nom qu'aime beaucoup le Prophète. Je m'appelle fleur, je m'appelle aussi Ambre. Tel est le temps.

L'époque. C'est le temps qui m'a destinée. C'est la brutalité du soleil et la famine qui m'ont déposée sur une pierre, au seuil de la vie, à la porte de la mort. J'étais là dans un linceul de silence avec des images floues qui allaient et venaient dans mon corps. Je croyais que le hadj allait m'emmener avec lui à La Mecque. Il m'a achetée à l'aller. Je suis restée des mois à attendre, là sur cette pierre, la pierre du temps, la pierre de la démence. J'étais livrée mais le maître n'était pas là. J'ai attendu longtemps. Seule. Ma famille, surtout le mari de ma mère, ne voulait plus de moi. Je vivais de mendicité au village. Je rêvais de mon maître. Je l'avais à peine aperçu. Un petit homme, dur et sec. Je pensais à ma grande sœur qui avait été vendue l'autre saison. Je crois que son maître est un grand commerçant arabe installé à Abidjan. Je ne l'ai plus revue. Ma sœur est belle, forte, solide. De beaux seins et de belles dents. Elle ne se laissait jamais faire à la maison. Mais elle a préféré être vendue, partir avec un inconnu plutôt que de rester à supporter la hargne du mari de ma mère. Elle est partie, sans verser de larmes. Moi, je traînais dans le village. A chaque passage d'une caravane de pèlerins, j'accourais comme une folle. Mon maître m'aurait-il oubliée ? Je ne connaissais pas son nom. D'ailleurs je ne le connaîtrai jamais. On l'appelle Sidi — mon maître — et puis c'est tout. Je dormais sous l'arbre le jour où il est venu me chercher. J'étais mal habillée et je ne m'étais pas lavée depuis quelques semaines. Il hésita un moment. Il devait se dire que je n'étais pas une bonne affaire. Il s'approcha et toucha mes seins. Durs et fermes. Il sourit. Je crois que c'est ce qui le décida en définitive. J'ai toujours eu une belle poitrine. Mes seins ne tombent pas. Il les soupesa avec ses petites mains et me fit signe de monter sur le chameau. J'étais contente et inquiète. Je me disais : jusqu'où m'emmènera-t-il. ce petit bonhomme ? J'espère qu'il me déposera au seuil du paradis. Je mérite le paradis, car depuis que je vis, je ne connais que l'ombre de la vie. Des nuages se sont souvent amassés pour m'empêcher de voir le jour et le bleu de la mer. Je connais mieux la nuit et les parfums du paradis. Je n'ai que des rêves comme souvenirs. J'étais une enfant qui ne connut jamais l'enfance. J'étais grande et innocente. Enivrée par le vide de ma vie. Il avait acheté de l'encens de La Mecque et de Médine. Des bouts de bois sec. Un arbre minuscule qui ne pousse qu'en Inde. Sa fumée dégage un parfum subtil, celui du bonheur de mourir, celui d'ouvrir les portes du paradis gardé par des anges, des roitelets de la légende qui s'occupent aussi d'acheminer notre âme du tombeau aux portes du ciel. C'est mon grand-père qui m'avait appris tout cela. Un siècle merveilleux, mon grand-père, c'était un sage, un saint, un magicien du crépuscule. C'était un homme du crépuscule, non pas un sorcier, un guérisseur. Un homme qui a ri du temps, un homme de science qui a sauvé l'époque et le village. Oui, il a sauvé une fois tout le village. J'étais petite; un jour toutes les jeunes filles étaient devenues folles. Elles hurlaient et étranglaient les quelques chèvres de la région. Elles égorgeaient des poules et buvaient leur sang. On les attacha aux arbres comme des chiennes. Des Français de la ville habillés en blanc venaient leur faire des piqûres. Ce médicament les rendait encore plus furieuses. Elles ne hurlaient plus, elles pleuraient et gémissaient. Alors mon grand-père les convoqua par petits groupes. Il les recevait sous l'arbre, leur caressait le dos tout en psalmodiant quelques prières. Il les sauva une par une. Je ne sais pas ce qu'il leur faisait vraiment, mais au bout de quelques jours, elles redevenaient elles-mêmes. Mon grand-père était connu pour avoir quelque chose dans le toucher qui bouleverse et guérit. Ses mains sont précieuses. Enfin, les jeunes filles étaient sauvées, mais les Français tombèrent gravement malades. Ils désertèrent la région. Ils ne sont plus revenus au village.

J'ai froid. Le ciel s'éteint. Les étoiles s'éloignent. C'est le vent du matin. Le muezzin se réveille. Les murs sont épais et moi très légère. La ville ouvre les rues à la nuit rompue. Nue. La clarté descend pour envelopper les bruits des corps qui se lèvent.

Avec le temps, Dada a acquis quelque mérite. La sorcellerie est la main du ciel et la nuit un livre à déchiffrer. Dada était du ciel et du livre. Femme muette, sa première parole fut un cri long et strident : une naissance. Elle l'appela Dhaouya. Un nom terrible. Dhaouya est celle qui apporte la lumière, la clarté de l'éternité. Dada avait sa part du jour. Personne ne pouvait lui retirer le bonheur d'être mère, même si elle n'était qu'une épouse clandestine, une procréatrice de second ordre. Comment étouffer sa mémoire et transmettre à sa fille l'histoire d'une âme étranglée, niée, piétinée ? Comment dire un passé hideux, une vie confisquée, un regard qui se baisse ?

Devenue seconde épouse du patriarche, elle décida de le conquérir. Elle était terriblement surveillée, suspectée au moindre geste. Sa vie était étroite, limitée dans le temps, mesurée dans l'espace. Pas son imagination ni sa volonté. Les facultés érotiques de Dada rendaient fou le patriarche. C'était là un atout important dans sa stratégie. Que de fois il abandonnait son magasin et venait prendre la belle esclave dans la cuisine! Il lui léchait les mains pleines d'épices, d'huile et de citron. Comme une bête. Il la prenait comme une bête, sans jamais lui dire un mot. Elle se laissait faire sans la moindre illusion d'avoir une caresse ou d'entendre des mots tendres de la part de cet homme. D'ailleurs qui oserait lui demander un peu de tendresse ? Ni ses femmes. Ni ses enfants. Il la baisait avec brutalité et lui mettait un chiffon dans la bouche pour étouffer un cri qui s'échapperait. Dada, comme son épouse blanche, n'avait pas à jouir, ni à manifester un quelconque désir. Il était viril mais pas civilisé. Il venait comme un taureau furieux et prenait la femme en silence. Dada sut petit à petit humaniser cette violence qui lui était infligée au moins une fois par jour. Quand il n'était pas pressé, elle l'obligeait à quelques caresses. Dada lui prenait la main et la faisait passer sur son corps. Elle promenait sa langue chaude sur le visage de cet homme impatient qui découvrait ainsi qu'il y a autre chose que la fornication brutale. Au début, il répugnait à toutes ces pratiques, mais plus tard, c'est lui qui réclamait la langue et les lèvres chaudes de Dada sur son ventre, sur son sexe, entre ses doigts.

Quand Dhaouya naquit, le patriarche fit une petite cérémonie, égorgea de ses mains un agneau et présida la prière dans la grande cour de la maison. Il obligea toute la famille — sa femme blanche et son fils aîné surtout — à reconnaître Dhaouya comme sa propre fille. Dada resta enfermée dans la chambre. Officiellement, elle était l'esclave de peine et de plaisir. Elle avait droit à une nuit légale par semaine. En fait, le patriarche ne respectait pas ses propres lois. Toutes les nuits, il la réveillait pour déverser sur elle quelques gouttes de sperme. La fureur de l'épouse blanche s'abattait sur Dada quand le maître s'absentait. Il partit un jour en voyage et confia les affaires de la maison à son fils aîné. Dada fut battue pendant son sommeil et privée de nourriture un jour sur deux. Elle ne disait rien. La nuit, elle gémissait.

ma peau est une terre
mon corps un chemin
sans destin
ma vie est une erreur
ma main une racine déposée sur l'horizon
la haine est une bouche remplie de sable
ma peau
volée au temps
dans le puits profond
il y a des images et un cri que personne n'entend
je suis fascinée par le puits

car c'est là que mes cris me laissent
mon corps est bleu
c'est un reflet de la lumière
je suis un siècle de trop
un siècle de silence et d'argile
un champ tracé par la nuit
mon corps est un incendie

La révolte s'imposait au bout de la nuit. Une révolte improvisée ne l'intéressait pas. La vengeance non plus. Dada tenait à avoir sa place dans la famille et dans la maison. Elle pensa à la sorcellerie. Une pensée fugitive. Dhaouya dira plus tard : « Non, ce n'est pas de la sorcellerie, mais un acte politique conscient et réfléchi qui consiste à briser les chaînes réelles, concrètes et à atteindre la dignité. »

Dada entendit un jour cette discussion entre l'aîné et sa mère :

— Je ne tiens pas à avoir une sœur noire.

— Elle n'est pas noire, mais très brune.

— Ma belle-famille pourra revenir sur la promesse de mariage...

— Non, tes futurs beaux-parents sont des gens civilisés. Ils savent que Dada n'est qu'une domestique et que Dhaouya est une fille qu'elle a eue avec un de nos serviteurs.

— Mais Dhaouya porte le nom de notre famille et va en classe.

— Non, elle ne restera pas en classe. Je vais bientôt avoir besoin d'elle pour les petits travaux de la maison. Elle est mignonne pour servir. Je la vois bien avec un tablier blanc en train de servir nos invités. Et puis Aïcha a grandi. Elle n'est plus bonne à rien. C'est toujours la même chose; on les forme, on les sauve de la misère et puis elles se retournent contre vous. Écoute, j'ai une idée. Tu sais qu'on a de plus en plus de mal à trouver des petites bonniches. Je propose que vous preniez Dhaouya, toi et ta femme, dans votre pavillon.

— Mais Dada ne voudra pas.

— Dada n'a rien à dire.

Elle n'avait rien à dire. Elle agissait. Elle connut au hammam une vieille négresse qui lave les mortes. Elle lui procura un morceau de langue de la vipère verte, une mouche d'Inde et la tête d'une araignée noire. Avec tous ces éléments cuits au miel du Sud et au gingembre frais, Dada était en mesure de bouleverser la situation à l'intérieur de la famille. Le patriarche devait manger une boulette de ce mélange une nuit de pleine lune. Elle mit du temps mais réussit à lui faire avaler la nourriture des morts au moment opportun. Il tomba gravement malade. Sa fureur fut terrible. Le mélange produisit l'effet contraire. Dada pensait qu'elle avait dû se tromper sur les proportions.

Elle maudit la vieille négresse et se retrancha dans sa solitude et ses travaux forcés. Le patriarche ne venait plus forniquer avec elle. On lui retira Dhaouya. Enfermée dans le grenier, elle se mit à chanter de vieilles litanies funèbres :

rouge la terre irriguée de miel
un fleuve de miel t'emportera étouffé noyé
car le miel se transformera en boue
le ciel se penchera lourd de ses sauterelles géantes
ce sera ton linceul
drainé par la forêt et les vents
l'océan te couvrira de ses vagues
haines croisées
rouge la terre traversée de morts affolés

La peur s'empara de la famille. Superstitieux, le maître libéra Dada et fit venir les tolbas pour lire le Coran et chasser le mal des lieux. Au bout de quelques mois, la situation redevint normale. Dada s'occupait de la maison. L'épouse blanche préparait le mariage de son fils. Dhaouya reprit ses cours à l'école. Le patriarche retrouva avec joie et méfiance la chaleur du corps noir. Mais Dada n'abandonna pas son vieux projet. Elle réussit un jour à sortir et alla trouver au mellah un sorcier juif réputé. Des gens venaient le consulter de tous les coins du pays. Il était redoutable. Elle lui offrit un bracelet en or (volé à la maîtresse) en échange d'une écriture infaillible C'était un talisman rédigé en arabe et en hébreu, parsemé de chiffres, trempé dans le sang chaud d'un coq sauvage et parfumé de quatorze encens importés d'Afrique et d'Arabie. Dada devait glisser le talisman à l'intérieur de l'oreiller du maître. Le juif lui promit qu'à la douzième nuit, le maître se lèverait fou d'amour et de passion pour elle, et si les esprits agissaient vraiment, il irait jusqu'à répudier son épouse blanche. Dada n'en demandait pas tant!

Dhaouya dira plus tard : « Non mère! la magie ne résout rien. Tu réponds à la barbarie par une autre barbarie. Et puis tu te masques. Non; face à la violence du maître qui t'a volé ta vie, il faut une violence encore plus grande. Ne lui réponds pas par l'esclavage. Enfin mère, je comprends, ta douleur était profonde... »

Ce qui arriva surprit Dada. Le patriarche n'avait d'amour — disons de folie — que pour elle et sa fille. Il ne répudia pas sa première femme, mais la tint à distance. Il ne la touchait plus. Quant à Dada, il lui offrit de l'or et de la soie. Il prit ses repas avec elle, devant tout le monde. Le patriarche ne savait plus ce qu'il faisait. Un jour, il laissa pousser sa barbe, se tourna vers le mur et fixa un clou rouillé. Il ne parlait plus, refusait de manger et passait son temps à murmurer des mots qui faisaient hurler de honte et de stupeur sa famille :

> mains, oui des mains, non, des doigts et le soleil... pénis énorme qui vous regarde, il vous surveille; mains... argent... couilles d'Antar... sexe, lèvres du sexe... vu... visage troué ce n'est pas le mien, c'est le vôtre, c'est comme pour les dents du sexe... les dents du vagin... le Prophète m'excite, il me pousse vers le fleuve, moi je vais vers La Mecque ou le mont Arafat... le ciel, la lune, l'anus... les couilles... les miennes, rideau sur vos yeux... l'anus, mon doigt dans l'anus, je le suce, le ciel, le cheval, la chamelle, le fleuve de gamins... baiser... baiser la vache... ma main sur ses seins... la roue... sept cent mille soleils... le jour... trois cents milliards de sexes et moi qui danse sur les poils du cul... la fenêtre... l'argent... les papillons sur mon sexe... je lui ai dit... elle m'a dit... douze nuits de pleine lune... treize sommets de terre et de sable... un fleuve entre mes doigts... le clou est là... je suis un clou... je suis suspendu à ce clou... je suis accroché à la rouille... mes parents m'ont bien élevé; un fils de bonne famille ne se fait pas lécher les fesses alors approchez, mettez-vous à genoux

et léchez... mes parents m'ont appris la prière et le mensonge. le droit et la force, venez et obéissez.. Je suis le mur, le mur blanc. Que Dieu maudisse la religion du vagin de ta mère... des seins qui pèsent une tonne... treize seins d'une même poitrine... trois millions d'amour... le mur... je suis la pierre... je suis l'ombre... un trou... je suis un puits dans le mont Arafat... venez prier, ma tombe est ouverte... venez mourir dans ma tombe... on forniquera la nuit et le jour nous serons assistés des anges du paradis... on forniquera avec la mer et les sables... la nuit... je suis la nuit et la révélation... je vois le Prophète... non, c'est moi le Prophète, prophète des temps hideux, prophète de la haine, prophète du malheur... le mur... que Dieu maudisse et brûle l'âme de vos illusions accrochées à mon sexe... je suis dans ce mur... écrit sur le mur... j'ai mangé le cœur chaud d'une chamelle et j'ai perdu la foi et maudit la religion... la nuit... et j'ai pissé des étoiles... je suis la vallée... de la merde... je suis la merde... j'ai dit au prophète de dormir... je suis ici pour les affaires courantes... il dort le Prophète... je ne dormirai qu'entre tes jambes ô toi mon idole... dans ton corps je trouverai la sagesse... dis-leur que je reviendrai à la prochaine lune du prochain siècle... j'ai ma jument... je bois son urine... c'est la jument du Prophète... Mahdi c'est moi... je m'appelle Mahdi, l'homme investi de la mission suprême... j'arrive... j'arrive avec les prochaines pluies... j'arrive après toutes les catastrophes... je vous annonce le malheur, la terre tremblera dans le ciel éclaté.. je suis un oiseau, une paille légère, une feuille de menthe, une voix du cimetière, une parole sacrée, un jour de plus dans l'éternité... mains... priez, priez sans ablutions... soyez bons pour le jugement... la chèvre aussi, elle m'a donné un enfant, je l'ai mangé dans mon sommeil... un enfant beau et tendre... je suis une île, un arbre, une terre sans eau, sans tendresse... du vin... je m'enivre... que je brûle ma tente... donnez-moi du vin que je lave mes péchés et que j'urine en dormant dans ma tombe... le clou... la mer... le linceul... un œil dessiné... une journée encore... qu'elle revienne la femme noire d'Afrique... je suis à elle, elle m'a acheté sur le marché... je suis son esclave... qu'elle vienne pour que je lui obéisse... des perles et des millions d'argent entre ses cuisses... et la chèvre... elle m'a oublié... je n'ai plus d'ombre... une rivière entre les seins... un jour de plus entre les dents... un oiseau mort... et le ciel se baissera pour saluer ma dépouille comme le vent, la terre et l'île, je suis une île dans votre mensonge, un cri et une plume de colombe, je vole, je monte vers le ciel, c'est l'âme qui me quitte, j'ai dû dire des mots qui sentent mauvais comme le vin qu'on m'a fait boire sur la colline du songe, mon âme m'abandonne, qu'est-ce que je vais devenir; est-ce l'âme qui me quitte ou le ciel qui s'approche ? priez après le vin, non, plus jamais... le mur avance, la fenêtre s'ouvre, mes paroles sont des trous dans le mur.. la plaine... la patrie... l'astre est déchu là sur mon front je tire sur ma barbe pour chasser les enfants qui y habitent... je les connais un par un... manger... non... les prophètes ne mangent pas... je serai le premier prophète du sexe... corrompu... oui... qui ne l'est pas aujourd'hui ? dites-moi où m'emmène le vent... je vole... je vogue... je chante... je pleure.. je hurle... hurle... Mahdi, tout le monde t'abandonne, tes enfants et tes femmes... je suis Mahdi l'homme promis élu et attendu... je vous apporte de mauvaises nouvelles... je vous dis le ciel et ses orages... Je suis l'arbre mort de tristesse... je suis le fleuve tari par votre avarice... plus personne ne pisse dans mon fleuve... plus personne n'embrasse mes testicules... je suis l'homme promis à la mort par une vie longue et étrangère... venez vite recueillir mon message... prenez vos enfants et offrez-les-moi pour mes nuits de solitude... je vous donnerai de l'huile et de la farine, celles de ma ferme, celles de mon corps, pas celles des Américains... je suis riche, Dieu l'a voulu ainsi, aimez-moi pour ma farine ou pour ma peau douce, aimez-moi et je vous aimerais... O Mahdi! quand tu reviendras, personne ne te reconnaîtra... meurs de nouveau... va-t'en, laisse cette foule à sa paresse, laisse ces hommes à leur tristesse, laisse ces gosses dans leurs bidonvilles, ils se nourriront de mes restes, ne les réveille pas, ils sont méchants, tu comprends, ils ne possèdent rien, que leur ventre et leur malice, ils n'ont rien à perdre, ils sont capables de nous envahir et nous manger en petits morceaux, alors Mahdi, sois raisonnable, arrête cette horde de gosses affamés; laisse donc ce peuple à ses mirages, laisse ces hommes à l'esclavage mais emmène avec toi leurs femmes... elles ne sont pas laides...

Moha fut réveillé en pleine nuit par cette cascade de mots. Il eut l'impression qu'on lui avait volé certains passages de sa parole. Une parole détournée, falsifiée, une parole trahie. Le fils aîné du patriarche dira plus tard : « Hé, non père! ce n'est pas avec les bribes d'un fou ni avec les déchets du langage que tu retrouveras ta place et ton rang. Un homme de ta race, un seigneur ne doit pas se laisser piéger par les femmes. Pourquoi avoir ramené jusqu'à notre foyer cette négresse ? Que ne l'as-tu abandonnée à la dernière porte du désert ? Nous ne sommes plus au Moyen Age, père. Nous sommes un pays de progrès grâce à l'Occident! C'est fini la luxure! Hélas, notre famille n'est plus pure comme avant; les domestiques se mêlent à présent à notre vie intime. Cette sorcière t'a rendu fou. Mais moi, je ne perds pas pied, je reste là à veiller. Il est temps que tu te réveilles. Rejoins ton rang et viens reprendre les choses en main... »

Dans sa colère Moha consulta l'arbre et se précipita à la grande maison du patriarche :

Tu n'es qu'un faux et un mensonge. Tu es un usurpateur. Tu simules la folie pour tromper tout le monde et tu caches ton visage derrière ta barbe, comme tu caches ta peau derrière la crasse. Quelle mesquinerie! Tu mérites le fouet... j'en connais qui te couperont les testicules. Que veux-tu ? Tu as fait de mauvaises affaires ? Tu ne sais plus commander ton troupeau ? C'est ta femme qui te monte à présent ? C'est vrai qu'elle te tient avec une laisse ? Quelle honte! un patriarche réduit à l'état d'un animal drogué!... Allons! arrête tes mots et retourne à ta tombe. Pas de pitié. Tu as des esclaves et tu veux jouer avec les fesses des enfants. Tu profites de l'innocence. Si au moins tu ne te cachais pas. Vous êtes tous pleins de rides et vous puez la haine. Une esclave se révolte et toi tu fais le fou! Une esclave te fait boire du sang frais et tu as la diarrhée! Lève-toi et marche vers le cimetière ou le commerce. Tu mélanges le sacré et la bêtise. Les oiseaux te méprisent et le ciel ne te reconnaît plus : tu es répudié. D'ailleurs le vent ne t'emportera pas et Mahdi se vengera. Ne salis pas la jument et la chèvre. Ne parle pas du peuple et de la foule. Un jour viendra où ils t'ouvriront le ventre et nous rigolerons tous sur les vagues. Reviens à ta maison. Bientôt tu marieras ton fils. Il habitera avec toi, dans la même maison, pour que tu puisses continuer à régner. Tu donneras les ordres et tu veilleras sur la marche des affaires de la famille. La famille! Quelle sacrée rivière! Tu veux tout. Va! va voir ta femme blanche; c'est elle qui t'a jeté un sort. Un bien mauvais sort! Va lui baiser les pieds. Va baiser les mains de ta femme noire. Le pardon viendrait peut-être de ses mains. Des mains que personne n'a jamais baisées. Rase cette barbe, va au bain et cesse de te masturber en caressant tes propres enfants. Quelle laideur! Ta parole pue l'argent et le beurre rance. Tu es riche et puissant; mais tu voudrais être le maître absolu. Pauvre homme! Les étoiles ne veilleront plus sur ta fortune amassée sur le dos des pauvres. Tu as des paysans qui travaillent tes terres et tu les considères comme des mendiants, tu les paies à peine, tu les maintiens dans la misère et tu oublies que ce sont des hommes. Tu trouves que c'est la fatalité : toi, Dieu t'a voulu riche et puissant; eux, Dieu les a voulus pauvres et misérables, esclaves entre tes mains! Le ciel est toujours là pour justifier votre brutalité ancestrale... Quel destin! Tu achètes les femmes et tu corromps les hommes. Allez, arrête et va vers l'arbre; il te dira ce que tu devras faire pour redevenir un homme. Pas pour longtemps, car les enfants préparent des nuits de feu et de grande colère. Tu viendras ramper pour un dernier soupir. Ne reste pas à fixer le mur, car il avance comme la forêt des gamins et il t'écrasera le crâne avec un éclat de rire...

La folie du patriarche perturba l'ordre des choses dans la grande maison. Dada, inquiète, venait pleurer derrière la porte. Elle se griffait les joues. Tout le monde lui disait que le maître n'était pas encore mort. Ce n'était pas la peine de saigner et d'appeler le malheur. La femme blanche fit venir ses parents ainsi que l'imam de la grande mosquée. Habillé de blanc, parfumé d'encens, il fit quelques prières et s'adressa à son ami le patriarche : « Reviens à Dieu. Tu es égaré. Car Dieu Le Miséricordieux pardonne aux croyants. Prie avec moi. Vendredi, nous ferons une prière pour toi. Envoie des plats de couscous à la sortie de la mosquée. Sois généreux avec les pauvres et prépare-toi pour un autre pèlerinage à La Mecque. Que Dieu t'aide et nous éclaire de sa Lumière... » Il reçut en plein visage une pierre couverte d'excréments. Il ne revint plus.

Le fils aîné avait pris les affaires en main. Il contrôlait la marche des affaires familiales. Il réunit un jour les paysans qu'employait son père et décida de les augmenter. Mesure intelligente, se disait-il. Il leur parla de machines modernes, de rentabilité fantastique et d'avenir prometteur. Les paysans ne disaient rien. Ils écoutaient le jeune patron en silence.

Aïcha traversa l'événement avec légèreté et ironie. Elle lavait les carreaux mais rien de ce qui se passait ne lui échappait. Elle suivait l'affaire avec beaucoup de discrétion. Un matin, alors qu'elle revenait du bois, elle rencontra le patriarche au seuil de la maison. Elle eut peur. Rasé et lave, il partait à la mosquée pour la prière du lever du jour. Il avait un petit tapis rouge sous le bras et un petit sourire au coin des lèvres. Aïcha lui baisa la main tout en baissant les yeux. Il lui caressa la joue et lui fit signe de rentrer.

Tout avait repris sa place. Dada redevint esclave. Dhaouya allait à l'école; la menace de devenir bonniche chez le fils aîné n'avait pas disparu. L'épouse blanche commençait les grands préparatifs du mariage. Plus personne n'osait évoquer les moments d'égarement du maître. Tout rentrait dans l'ordre. Les affaires, depuis que le fils s'en occupait, devenaient florissantes.

Tu as dit que tout était en ordre? Non! pas tout à fait. Tends l'oreille un peu et écoute... Tu entends cette rumeur lointaine?

La rumeur que j'entends est celle des gamins, nés de ma parole, nés de ma peau. Enfants du bidonville et du hasard, ils se préparent à prendre place dans le grand nuage. La ville a peur. Elle n'aime pas l'orage.

De tous les gamins, il en est un qui est resté suspendu à un rayon de soleil. Il ne volait pas. Il rêvait. Il m'a appris comment il faisait pour rester si longtemps accroché au soleil et comment il redescendait sur terre sur un nuage coloré. Il me disait : « Je vais me payer un chapeau noir et des souliers blancs pour séduire les plus belles filles de la ville. » Il portait un pantalon qui lui arrivait jusqu'au menton. Il le nouait avec une corde. Ce gosse n'était pas marrant. Il était grave. Il y avait l'émotion d'une grande absence sur son visage. Quand il était triste, il montait sur un arbre et partait dans ses rêves. Il se demandait quand il allait entrer en enfance. Il était né adulte comme d'autres naissent infirmes. La mort l'obsédait déjà, mais il en riait souvent. Il disait qu'elle ne l'atteindrait jamais et qu'il saurait lui échapper D'ailleurs il se tenait toujours prêt à partir avec le dernier rayon de soleil. Mais il n'a jamais compris pourquoi il était né un jour où la terre était mouillée et pourquoi une source coulait à côté de la boîte en carton où on l'avait déposé. Il disait :

Enfant de riches, je n'aurais pas aimé. Je n'aurais rien vu. Rien connu. Je serais gras et poli. Je serais triste et gâté. J'aurais passé toute ma vie à envier secrètement les gamins qui s'accrochent aux voitures américaines et qui n'ont de comptes à rendre à personne. Non, des fois, j'ai la nostalgie de la vie, celle que je n'ai pas connue. J'ai envie de crêpes au beurre pur et au miel. Je n'aime pas le chocolat. Là, je ne perds rien. Parfois j'ai envie de bien manger. Être derrière des burnous d'hommes rassasiés, ce n'est pas l'idéal. Tu vois, l'idéal pour moi, c'est d'arriver à être aussi léger qu'un moineau. Ce n'est pas un hasard si je suis toujours sur les branches des arbres. Je finirai un jour par avoir des ailes. Si ça ne marche pas, j'irai travailler au cirque Ce que je n'aime pas, c'est de n'être ni pauvre, ni riche. Au moins, quand on n'a rien, on est plus détendu, je veux dire on peut rire et peter avec élégance. Comme on ne prête jamais a ceux qui n'ont rien, je suis tranquille, je n'aurai jamais de dettes. Tu sais, quand il pleut, quand il fait méchant, le froid plus le vent et la mauvaise humeur du ciel, j'ai mal Je me ramasse sur moi-même Je deviens tout petit. Mes rêves, je les sens arrêtés par la boue Ils se mouillent et m'empêchent de partir loin. Comme mon soutien essentiel est le soleil, quand on lui barre le chemin, je dégringole. Dure la chute! Rien n'est grave, mais les crêpes du matin sont bonnes. J'ai vu une grand-mère les faire un jour au seuil de sa porte. Elle m'en a donné une douzaine! J'ai grossi comme un crapaud. Le miel me porte bonheur. Quand j'en mange, je vois clair et il me rapproche du ciel. Il ne faut pas qu'il soit mélangé avec du sucre. Il faut qu'il soit pur. Dans cinq ans, le ciel et l'arbre seront toujours là. Dans cinq ans, j'aurai un grand chapeau et une chemise en soie. Dans cinq ans, je me marierai avec une gazelle et nous irons vivre près de la source. Je sais que je suis fils de cette source. Je sais qu'elle est ma mère, ma propre mère. Mon père doit être un cheval. Il court dans la ville. Il transporte les fardeaux des commerçants. C'est mieux comme ça, je suis libre. Mes parents, réduits à l'eau et à la terre. Ils sont tranquilles. Quand je descends en ville, j'ai la nausée. Je pourrai gagner de l'argent en cirant les chaussures, mais moi, le travail me donne la migraine. Ce n'est pas prudent de tomber malade dans mon état. Les gens ne s'arrêtent plus pour perdre du temps. On ne s'arrête plus, les premiers jours du printemps, pour regarder un arbre se transformer. Un arbre c'est comme une jeune fille. On est toujours bouleversé par leur printemps. Mais la qualité des choses baisse. Ça ne vaut plus la peine de voler des objets. J'aime bien aller à la mosquée. Il y fait toujours bon. J'aime dormir dans les mosquées. Elles m'inspirent bien. Je fais souvent des rêves étranges : voyages à travers les cieux; jardins suspendus; châteaux déposés sur l'horizon; univers soustrait à ce monde triste... Je suis un solitaire. Alors je peuple mes sommeils d'ombres et de couleurs. Mes copains ne comprennent pas pourquoi je fréquente ces lieux. En fait j'y vais pour méditer. Je regarde le plafond et dévisage les calligraphies comme si je lisais un nuage. Il m'est arrivé d'y voir des choses extraordinaires, des visages qui disent l'avenir, des mains qui dessinent le temps; des gestes qui refont le ciel; des chemins qui mènent vers mes jardins préférés et bien d'autres choses que je n'arrive pas à nommer. Comme je suis un habitué des lieux, il m'est arrivé aussi de discuter avec l'imam. le responsable de la mosquée. Ce n'est pas un vieillard avec une barbe blanche. C'est un imam jeune. C'est la jeune génération qui a fait des études dans les pays d'Islam. Il est fonctionnaire du ministère. D'après lui, l'Islam a tout prévu. On trouve tout dans l'Islam, même le socialisme. Il m'a expliqué que, quand je serai grand — comme si j'étais petit —, je comprendrai le socialisme et la politique. Or moi, la politique, je ne sais pas ce que c'est, je vis... J'ai douze ou treize ans — je suis né présumé — je ne sais pas exactement, d'ailleurs personne ne sait exactement, mais je sais qu'il y en a qui vont à la mosquée et qui s'enferment dans leurs maisons vitrées. Le jeune patron de la religion m'a dit que le pays est en danger car des personnes qui ne croient pas en Dieu et qui sont payées par des étrangers vont tout diriger dans le pays, et elles mettront en prison les gens qui viennent dans les mosquées; il m'a dit que même moi je risque pour ma vie et qu'il faudra faire attention car les gens méchants qui ne croient pas à la mosquée sont capables de me faire du mal. Moi, je ne l'ai pas cru. Je l'ai laissé parler. Ça lui fait plaisir de me montrer qu'il en sait des choses. Enfin, j'ai fait semblant. Moi si je viens à la mosquée, ce n'est pas parce que je crois en Dieu et ses prophètes, mais parce que je m'y sens bien et que j'aime beaucoup contempler le plafond. Je n'ai pas osé le lui dire. Il faut être politique parfois. Il m'a longuement parlé de leur groupe. Ils sont quelques-uns comme lui à avoir formé un groupe de lutte pour la parole de Dieu. C'est un groupe armé de corans et de poignards. Ils se réunissent souvent et discutent violemment entre eux. J'ai assisté un jour à une de leurs réunions. Ils m'ont proposé de travailler avec eux. Un travail particulier, tu vois ce que je veux dire. Ils m'ont dit que l'innocence de l'enfance doit être préservée et qu'on doit empêcher que *l'athéisme des voyous ne vienne détruire l'âme du peuple.*

Il y avait à la réunion une femme, toute enveloppée. On ne voyait que ses yeux. Un fantôme. C'était troublant. Un seul œil visible qui vous fixe. Quelle horreur! J'ai compris qu'ils recrutent leurs agents parmi la jeunesse. Ils se pointent à la sortie des lycées et font connaissance avec des jeunes gars non avertis. Ils m'ont demandé de les aider, d'aller dans les cafés et surtout dans les bars pour espionner et repérer ceux qui boivent de l'alcool... Enfin, un travail de mouchard! A mon âge! ils n'ont pas honte. J'ai dit que j'allais réfléchir. A présent je vais choisir une autre mosquée. C'est dommage, j'aimais bien celle-ci! Moi, je n'aime pas la prière; il faut tout le temps se laver. Je préfère regarder les tapis. Ils sont usés mais très beaux. Les rêves que m'inspirent les tapis sont moins étranges que ceux du plafond, mais c'est intéressant : je plonge dans l'océan et je vis avec la flore marine. On me récite l'histoire des mille et une nuits. J'ai rencontré une fois la belle Shahrazade. Elle m'a proposé de partir avec elle pour lui laver les pieds. Elle m'offrait des sommes fabuleuses. J'ai refusé. J'ai ma fierté, et puis elle était trop belle pour moi. J'avais peur de tomber amoureux d'elle et d'être ensuite malade d'amour et de haine. Non, les tapis me transportent dans un monde merveilleux et plus inquiétant. Alors je préfère le plafond. Je vais aussi me retirer dans les cimetières. Pour méditer. Les cimetières ne sont pas tristes. Ils ne sont pas drôles non plus, mais ils ne me font pas peur. Ni rigueur ni symétrie dans la disposition des tombeaux. Les morts viennent et prennent place; l'essentiel c'est qu'ils aient la tête dirigée vers La Mecque. J'aime les tombeaux des pauvres; on les reconnaît tout de suite : pas de dalle; pas de carrelage; une pierre plantée au-dessus de la tête et puis un monticule de terre grise. Je me laisse aller entre cette terre grise et les touffes d'herbe sauvage. Je pense à la vie. Pas la mienne. Il n'y a rien à en penser. Mais celle des autres, ceux qui courent derrière l'argent, ceux qui croient que le bonheur est dans la jarre, la jarre étant cachée dans le jardin, et le jardin est un rêve raconté par la grand-mère. Je pense aussi à la mort. La mienne. Pas celle des autres. Les autres, je pense qu'ils sont déjà habités par elle, mais ils ne le savent pas, jusqu'au jour où leur corps les lâche et là c'est trop tard pour savoir quoi que ce soit. Donc, ma propre mort. Une fontaine qui s'arrête. Une source qui ne donne plus d'eau. Une course dans le bois et le vent qui souffle mais tu ne l'entends plus, tu ne le sens plus et tu continues à rire, rire pour le ciel, rire pour la terre qui t'accueille un soir et ne plus penser. Moi, ce qui m'embêterait un peu dans la mort, c'est de vieillir dans les ténèbres de la terre.

J'ai assez parlé aujourd'hui. Je sors ma canne et j'enfourche le merveilleux cheval dans la prairie du silence. Loin des mosquées et des cimetières. Tout près de la vie. Tout près de la mort.

Ainsi disparut le gamin comme une parole enroulée dans le vent. Un grain flou dans l'éclat du matin. Au loin, la ville s'élève. A ses pieds des épaves. Des morceaux de maisons. Des ruines reconstituées. Des pierres amassées. C'est une terre piétinée, malmenée par l'orage et l'indifférence. Elle est semée de détritus, semée d'enfants inadaptés à la vie — à cette survie —, exclus du compte et qui ne connaîtront du bonheur et de la joie que la nostalgie. La ville, elle, est derrière ce champ de désolation à laquelle on s'est habitué. La ville est de l'autre côté du grand mur élevé comme un voile de pudeur sur tant de briques, de corps et de grimaces. Là est la ville. La grande ville. Celle qui fait vivre le pays. Avec ses jardins taillés, ses fleurs fines, son ordre pur, ses bâtisses colossales, sa folie et ses dictatures. C'est dans ses rides, dans ses trappes que les gamins essaient de rire et de survivre. Ils ne sont pas de cette pierre bien taillée et posée comme une loi. Ils sont de la poussière et du zinc.

La mort du patriarche fut annoncée à la famille par le ministère de l'Islam. Mort étouffé par la foule des pèlerins qui se précipitaient pour toucher des doigts le tombeau du Prophète. La note disait qu'il eut la plus belle mort qu'un croyant peut espérer. Mort aux pieds de Mohammad, l'envoyé de Dieu. Mort d'émotion. Le corps fut enterré dans une fosse commune à la sortie de Médine. La famille organisa une cérémonie grandiose. Enterrement de l'absent. Sept jours et sept nuits de prière. La veuve blanche fut réveillée une nuit par l'image du patriarche dissimulé derrière un voile et qui rappelait ses volontés :

> Vous m'avez envoyé mourir dans ce désert où la vie d'un homme ne vaut pas cher. Vous festoyez, mais moi je hurle de haine dans cette fosse où ça pue la charogne, ou on mélange les pauvres avec les riches, les infirmes avec les puissants. C'est une honte. Je méritais une mort digne de mon rang. Aujourd'hui, je suis

jeté parmi des cadavres qui se dévorent entre eux, qui ne respectent rien. Nous sommes ici en instance de quelque chose. Nous attendons le jour du jugement dernier. Nous sommes livrés à nous-mêmes dans le désordre et le chaos, dans la léthargie et la chaleur moite. Personne à qui parler Personne à qui faire des réclamations. J'ai passé ma vie à prier et à adorer Dieu. Et voilà, pour rien; cadavre parmi les cadavres. J'ai cru avoir réussi à laver tous mes péchés. Mes membres ont parlé. Chacun a vidé sa mémoire. Chacun a raconté ce qu'il a fait. La main droite à été très bien. Elle a oublié certaines choses. Mon sexe, par contre, a été bavard. Je suis perdu. Je trouverai bien une issue à la situation. Je hais ce désert. Alors, ne m'oubliez pas. Je vais bientôt revenir. Ne touchez pas à mes affaires et ne donnez rien aux pauvres. Ça ne sert à rien; je le vois bien. Je déteste les mendiants. En fait j'ai toujours détesté les mendiants et les pauvres. S'ils sont pauvres, c'est de leur faute. Et puis Dieu l'a voulu ainsi. Alors il n'a qu'à les nourrir. Non! Ce n'est pas moi qui parle. C'est Satan. Il me possède. Il est entré dans mon corps et s'est installé comme la fièvre. Il me fait dire des choses horribles et me laisse assez de lucidité pour me repentir. C'est l'enfer. Et moi qui croyais me retrouver au paradis! Ça ne sert à rien d'être bon avec les nécessiteux, à rien! Donc tenez-vous prêts; je reviens. Je vous parle

de Médine; bientôt je serai à Kérouan, je ferai une escale à Tlemcen pour régler quelques affaires, et ensuite je viendrai pour une lune chez moi. Je vous surprendrai. Qu'on me prépare un tombeau dans le jardin de la grande maison, avec du marbre et des miroirs, avec des plantes carnivores et quelques chenilles. Je désire être traité avec les égards dus à mon rang et à ma race. C'est une honte de jeter un seigneur avec des esclaves même s'ils sont affranchis. Ce n'est peut-être pas une honte; c'est une erreur. Si on me transfère chez moi, je pardonnerai ce manque de délicatesse.
Femme! je t'ordonne de respecter les lois de l'héritage. N'oublie pas Fatem-Zohra ni ma fille Dhaouya. Quant aux enfants, qu'ils continuent les études et les affaires. Il faut que l'aîné soit avocat, un grand avocat, et qu'il devienne milliardaire. Il est capable. Il ne se fera pas avoir par la pitié et la générosité. Ce pays est formidable; il est assez fou pour permettre toutes les fantaisies, toutes les audaces. Il échappe à tous les calculs et on y trouve toutes les combines. Je n'aime pas ce mot. Ça m'a échappé. Je voulais dire que c'est un pays où on s'arrange. Enfin, ce n'est pas le moment de méditer sur le pays. Par contre, ici, j'étouffe et je perds patience. J'attends toujours la visite des anges, les experts comptables de nos vertus et nos péchés. Cette année ils ont beaucoup à faire. Il y a eu trop de morts

durant le pèlerinage. Il y a aussi les problèmes métaphysiques. J'ai trop chaud pour en parler. Dernière recommandation ne faites aucun mal à Fatem-Zohra et à ma fille Dhaouya. Je sais ce que c'est que la souffrance.

L'image disparut. La veuve blanche, bouleversée, convoqua une réunion de famille et récita le discours du défunt. Certains pleuraient, d'autres hésitaient à manifester leur colère et leur stupéfaction. Ils préféraient croire que c'était un discours inventé par la veuve.

Ainsi va le temps. D'une blancheur étendue. Écume du silence. Linceul sur la mer. Le temps est ainsi recouvert. Telle est ma pudeur. Votre époque n'est pas la mienne. Alors je passe, comme une saison dans l'année. Je n'attends personne. Mahdi ou Mohammad, quelle importance! Le pays n'a pas besoin de mythe. J'ai appris dans la solitude la haine de la médiocrité, car c'est là la véritable torpeur.

Il fit claquer ses doigts en direction du gamin.

— Tu auras un bon pourboire si tu es généreux en crème et en cirage, et surtout si tu es rapide.

Le gosse vida ses boîtes sur les bottes de l'homme suffisant. Un homme qui était arrivé à posséder une montagne d'argent. Le gosse le voyait dans le quartier, toujours en voiture, jamais à pied. Il s'imaginait qu'il n'avait pas de chaussures. Pour faire briller le cuir, il cracha. Tête baissée, il se mit à frotter. Il mit une lame de rasoir dans la brosse. Il réussit à cirer les chaussures de cet homme descendu de sa montagne d'argent tout en pratiquant quelques déchirures. En frottant les bottes, il se demandait s'il allait voler la montre ou la gourmette. Toutes les deux en or. Sur le cadran de la montre, il n'y avait ni chiffres ni aiguilles. Une montre vide; elle ne donne l'heure qu'à son propriétaire. Difficile à revendre. La gourmette, c'était plus facile. Cirer des bottes l'aidait à se concentrer, à réfléchir et à trouver de nouveaux plans d'action. Ses mains dans le chiffon jaune glissaient machinalement sur les chaussures. Il pensait au cirage qu'il venait de gaspiller. Cela aurait fait au moins deux sandwichs. Quelle merveille! Le cirage, comme la vapeur d'essence, aide à survivre. Un sandwich au cirage, ça vous donne le paradis du pauvre, l'ivresse du corps nu. L'intraveineuse au Coca-Cola, c'est déjà le stade supérieur, quelque chose de sophistiqué. Les petits se contentent de cirage et de mie de pain qui a trempé un temps dans un jus de chaussettes ou qui a passé quelques heures dans le tuyau d'échappement de l'autobus! Pour le moment, c'est tout ce que ces gosses ont trouvé pour détourner la vie. Oh, pas grand-chose. Un petit détournement qui ne dure pas longtemps. Le temps de quelque illusion, un temps de répit sans tendresse, avant d'en arriver à l'alcool à brûler. C'est une autre histoire. Enfin les gamins n'ont pas besoin de morale, encore moins de bénédiction ou de pitié. La pitié étrangle tout ce qu'elle touche. Ils mangent ce qu'ils trouvent. Leur cerveau ne s'arrête jamais de fonctionner. Il est toujours à la recherche de quelque chose de neuf, de bouleversant et surtout dangereux. Prenez le vol par exemple : ils refusent d'être de médiocres petits chapardeurs. Ils ne s'attaquent pas non plus à des banques. D'ailleurs ici personne ne s'attaque à des banques. Personne ? je n'en suis pas sûr. Pourtant l'autre jour, la police a arrêté Moha pour une histoire qui se passait dans une banque. Tous les matins entre huit et neuf heures, au moment où les employés arrivent à leur travail, Moha s'installe en face de l'entrée de la banque, sort sa flûte, joue un petit air grinçant, et au moment où il y a foule, il tire de sa poche des billets de banque et les déchire un à un, méthodiquement, méticuleusement en mille petits morceaux. Il commente aussi :

Vous venez pour gagner de l'argent, moi, je viens pour le perdre. L'argent, l'argent me donne des migraines. L'argent n'est rien. Un morceau de papier sans importance. L'argent ce n'est pas de l'or. L'or ce n'est pas du papier. Dieu nous préserve du papier. Le Prophète l'a dit. Je l'ai vu cette nuit. L'argent vous rend fous, lâches et petits. Tiens, toi là-bas, tu as de la fièvre. Tu mourras le mardi. Et toi qui fais semblant de voir ailleurs, tu as une maladie inavouable. Tu as honte mais tu as des boutons rouges sur le front. C'est l'argent qui vous rend si moches. Moi l'argent je sais ce que c'est. Je suis envoyé par le Prophète pour arrêter sa circulation. Je le prends le soir et je le déchire le matin. Quand il tombe entre mes mains, c'est fini, il n'ira plus dans d'autres mains. J'arrête l'argent. J'arrête le cirque...

Un homme sortit de la foule et cria : « Arrêtez-le; il est fou; il manque de piété. Déchirer l'argent! Il devrait au moins le donner aux pauvres! Appelez la police. Il faut l'arrêter; cet homme est dangereux pour notre société et notre religion. Ceux qui gaspillent de l'argent sont les frères de Satan. Dieu l'a dit. D'ailleurs ça se voit sur son visage. Possédé par Satan. Qu'Allah éloigne de nous Satan et nous rapproche de sa miséricorde! Priez avec moi; qu'Allah nous protège! » La foule encercla Moha. Des mains fouillèrent sa veste. Des billets de banque étaient par terre. Des enfants à quatre pattes les ramassaient. Le car de police était déjà là quand Moha perdit connaissance et s'écroula par terre. Le gamin cireur accourut. Il s'était dit que c'était peut-être l'occasion de quelques affaires en ce matin pâle, un lundi comme tant d'autres. Le lundi est généralement le jour creux pour les gosses. Ils prennent du repos; ils partent en balade dans la banlieue chasser les moineaux. Ils ne les mangent pas, mais les revendent au marché. Ils s'amusent dans les champs. Ils se montrent leur sexe. Ils se caressent un peu. Des fois ils partent aux champs avec une nouvelle recrue, généralement un garçon de la ville, un garçon de riches qui s'ennuie dans la villa de ses parents. Vers la fin de la journée, ils lui font comprendre qu'il faut bien qu'il baisse son pantalon. L'enfant citadin se laisse faire mais leur demande de ne pas lui faire mal. Des caresses inégales, sans risque. C'est le prix qu'il faut payer pour passer une journée avec les gosses libres des terrains vagues. Les parents citadins en ont peur. Alors ils protègent leurs enfants par des distractions bien innocentes. Qu'importe! Les enfants de la ville n'auront pas de sandwich au cirage! Kiwi est la marque de cirage la plus cotée; elle est devenue rare dans les drogueries. Le cirage national ne fait pas rêver; il ne fait même pas briller le cuir. Les gosses s'en moquent. Bientôt, ils se mettront à l'alcool à brûler.

Le gamin cireur reconnut Moha. Les gosses se réunissaient chez lui, dans sa cabane sur la jetée, de temps en temps. Il leur apportait des fruits et des cigarettes américaines. Il leur donnait aussi des tuyaux, car Moha vit dans un arbre où il a son propre réseau d'informations sur certains beaux quartiers. Lui-même n'a jamais commis de vol. Il sert d'intermédiaire entre les gosses et les possédants. Le gamin cireur courut donner l'alerte aux copains. Réunion générale le soir dans la cabane :

— Il faut le sortir de prison.
— Il n'est pas en prison mais à l'hôpital des fous.
— C'est la même chose.
— Donc c'est plus facile pour organiser l'évasion.
— Il suffit de corrompre les gardiens.
— Oui, je sais, ici on peut tout faire quand on a de l'argent. Il va falloir qu'on ramasse quelques billets.
— Voyons ce qu'on a dans le trésor...
— Quel trésor ?
— Le trésor de paix! *(rire général)*
— Nous avons des objets, mais pas d'argent.
— On peut demander aux habitants des bidonvilles de se cotiser...
— Oui, mais il y a parmi eux des mouchards.
— Les mouchards ont peur de nous, alors...

— On va s'amuser. On va d'abord consulter l'arbre. Ensuite, on passe à l'action.

Reconnu fou, Moha fut libéré le lendemain. La police l'avait gardé quelques heures pour le photographier. Certains agents le chatouillèrent sous les bras. Ils voulaient rire. Il pleura.

Non. Moha ne pleure pas devant les hommes. Il pleure devant un coucher de soleil, devant l'arbre, devant la mer. Les enfants le bouleversent. Les femmes l'émeuvent. Pas les hommes de cette rive.

Il revint un jour à la grande maison. Il était curieux de voir ce qu'elle était devenue. Modernisée à l'extrême, elle ressemblait à un décor de cinéma Le fils aîné avait pris le pouvoir Dada était partie vivre avec sa fille. La veuve blanche se maquillait à outrance et étalait ses bijoux. La petite Aïcha avait disparu dans le bois. On disait qu'elle avait été mangée par l'ogresse des ténèbres, celle qui a perdu la vue au bord du fleuve. Les enfants avaient grandi. Il y eut plusieurs mariages. Des festivités grandioses. Des relations nouvelles. La famille s'était beaucoup enrichie. Moha ne reconnut que peu de chose. Le jardin, les murs, les lustres et certains tapis.

Tout le monde s'agitait. On se préparait à fêter un grand événement. Moha pensa à un nouveau mariage, ou à un baptême. Un départ ou une arrivée. Une rencontre ou une acquisition. Moha n'y était pas. Le fils aîné allait fêter son premier milliard. Il ne savait pas que ça se fêtait. C'est une habitude récemment instituée par l'aristocratie des hommes d'affaires qui jonglent avec les chiffres et les hommes. Un milliard! Moha se mit dans un coin du jardin et commença à compter sur les doigts. Il s'embrouillait. Il s'imagina une montagne d'argent mais en même temps il y vit un incendie géant et impossible à maîtriser. Il imagina ensuite une mine d'argent avec des pièces d'or. Dans le gouffre, il reconnut une poignée de gamins. Il éclata de rire et entreprit d'autres recherches. Il pensa à la banque. Une banque où tous les coffres ne suffiraient pas: où les employés tomberaient en syncope devant tant d'argent. Il rêvait et refaisait le monde dans sa tête. Dans sa tête, une bourrasque. Une tempête. Un éclat. Une fantaisie. C'est juste! C'est bien le père du futur M Milliard qui disait que dans ce pays on peut se permettre des fantaisies, qu'avec de l'argent on arrive à tout. En tout cas la fortune du fils, elle est basée en partie sur du vent. Dans ce pays, le vent rapporte, autant sinon plus que le soleil. Il fait dans les agences, comme d'autres font dans l'épicerie. Agence d'assurance: agence de voyage; agence de prospective: cabinet d'affaires... et tout cela grâce à la bénédiction maternelle. C'est essentiel. La mère a tous les pouvoirs sur le fils. Elle peut lui retirer sa bénédiction, ce qui entraîne la ruine et la misère. Pour le fils, tout fonctionne sur un certain nombre de principes, simples, efficaces, arithmétiques.

Le futur M. Milliard surgit à ce moment précis et dit à Moha :

Non Moha! Ce n'est pas simple! Efficace . je suis d'accord avec toi, mais ce n'est pas arithmétique du tout, bien au contraire. De toute façon, toi, tu t'es mis à l'écart et tu as le beau rôle : tu nous regardes et puis tu vas écrire tes bouquins. La critique, c'est aisé, comme dit l'autre, mais la vie, la lutte pour la vie, ce n'est pas à la portée de n'importe qui. Et puis, tu juges, tu ne sais faire que ça; c'est facile Viens dans le bourbier et tu verras combien c'est dur. Moi, j'ai des principes, mais toi, tu flottes, tu es toujours ailleurs, insaisissable. Tu crois que la vie se contente de mots ? Vous vous réfugiez dans un buisson de mots et vous voulez refaire le monde, vous voulez faire la lutte des classes. Quelle illusion! Le pays n'a pas besoin de mots, surtout pas de poésie, il a besoin de progrès et de techniques nouvelles. La poésie c'était bon du temps des Abbassides, du temps de l'Andalousie, du temps de l'accalmie et des lauriers de l'histoire. Quant à la lutte des classes, c'est une notion importée: elle est étrangère à notre réalité, pernicieuse pour notre société. C'est vrai, il existe des intérêts antagonistes entre des gens. Mais nous sommes pour l'émancipation des volontés et des initiatives individuelles. (Elle est bien cette phrase; je la retiendrai pour ma campagne électorale! Ce n'est pas de la démagogie puisque j'y crois!) Ce que je fais, peu d'Arabes savent et peuvent le faire. J'ai fait des études tout en m'occupant des affaires de mon père qui avait perdu la tête un certain moment entre les chaînes d'une négresse. Toi, tu as préféré faire de la philosophie. Tu t'es englué dans le magma des mots et des phrases obscures. Tu as fait vœu de pauvreté. Tu n'es pas pauvre; tu es raté! voilà la vérité. Que peux-tu avec des livres, surtout dans un pays où l'écrasante majorité des gens ne sait ni lire ni écrire. Tu aurais dû suivre les conseils de ton père et faire des études efficaces; l'économie, la pharmacie, l'architecture... Tu as préféré suivre les conseils d'un homme qui habite dans l'écorce d'un arbre, un clochard, un mendiant, un fou. Mon métier est basé sur l'honnêteté la plus stricte. Je traite des affaires internationales. Je les traite les yeux fermés. Les Occidentaux me font confiance. Je réussis tout ce que j'entreprends. La clé, le génie je ne les possède pas. J'ai les yeux ouverts aussi! C'est Dieu qui possède la clé, et pas le dieu des mystiques, mais le dieu de la vie concrète, celle des chiffres et des statistiques. J'ai trente-cinq ans et un milliard. Je dépose ma fortune et mon destin entre les mains de Dieu et de ma mère. C'est grâce à eux que je suis riche. Je fais confiance à Dieu et à ma mère. Ma mère, une femme admirable. Elle a souffert dans sa vie avec mon père. Quand il est revenu de La Mecque avec une négresse, ma mère a eu une attitude digne. Elle prie. Pour moi. Pour mes affaires. Je sais que ses prières ont une portée exceptionnelle. Avant d'entamer une affaire, je fais appel à sa bénédiction. Je me fais tout petit quand j'entends ses prières. D'ailleurs j'ai acheté un petit magnétophone. Il est toujours sur moi ou dans mon cartable. Je le mets en marche, et j'entends les prières de ma mère. Cela me donne du courage, de la force et de l'assurance. Une femme admirable. Après la mort du père, elle a prêté serment dans la mosquée : elle s'est engagée à rester fidèle au souvenir de son époux. Elle est moderne. Je la couvre de baisers et de bijoux; et là, elle me comble de prières et de bénédictions. Des fois, elle me surprend : elle me dit les prières adéquates qu'exige la situation. Elle est cultivée. Intérieurement. Car comme toutes nos mères, elle ne sait ni lire ni écrire. Le Coran, elle le connaît bien. J'aime l'écouter parler de l'avenir. Nous sommes tellement complices tous les deux que, parfois je sens monter en moi quelque chose comme la honte. Mais, en fait, c'est de l'amour filial. Pur et soumis. Ma femme, les premiers temps de notre mariage, était un peu jalouse. Une prière a suffi. Tout est vite rentré dans l'ordre. Ma femme adore ma mère. Elle la préfère à sa propre mère. Ma femme est belle. Elle est instruite; pas beaucoup; elle sait élever ses enfants, tenir sa maison et être à la hauteur quand on reçoit des hommes d'affaires étrangers. Ma femme est heureuse. Satisfaite et épanouie. Je l'aime depuis toujours. Entre ma femme et ma mère, je suis comme un enfant heureux. Je suis heureux. J'ai tout fait, tout prévu pour l'être. Je suis bien introduit. Réaliste et imaginatif. En dix ans j'ai appris comment le pays et les hommes fonctionnent. Les responsables, par exemple, je sais quel langage leur tenir. Les agents d'autorité, je sais comment les convaincre. Remarquez, c'est souvent délicat. Mais on s'arrange. L'angoisse, c'est lorsqu'il y a un mouvement de postes. Au début, on est très prudent. On tâte le terrain, parce que dans ce pays, il y a aussi des gens honnêtes, intègres et sérieux. Il ne faut pas croire toutes les rumeurs. Il existe des fonctionnaires qui font honnêtement leur travail et qui vivent avec le strict minimum. Généralement, c'est des pauvres types. Ils ne le restent pas longtemps. Car c'est plus fort qu'eux : la machine a sa logique; elle est huilée. C'est une mécanique réglée. Quand quelqu'un veut la faire dérailler, c'est lui, et lui seul qui déraille. Tant pis pour lui! C'est un manque de perspicacité. Ce n'est même pas une question politique, gauche-droite. Le ver est dans la cervelle. C'est le cerveau qui est atteint. Des trous énormes. Des lacs et beaucoup de mouches. Les mouches n'ont pas à se plaindre. Les chèvres non plus. Je disais que le ver.. Oui, c'est une question de fruit et de ver. Je ne sais plus comment on dit. Le principal c'est de le savoir Or il y a des imbéciles qui se font des illusions. Nettoyer! Ce n'est pas une maison qu'on nettoie. C'est tout un territoire, c'est tout un continent. Et il faudra remonter très loin dans le temps. Ils n'ont pas beaucoup de choix les imbéciles. Ou bien ils intègrent la logique des choses, ou bien ils se font broyer par la machine. Ils n'ont pas le choix, en fait. Ils n'ont que l'embarras! (ah! c'est une bonne astuce; il faut la retenir!). Moi, je suis cohérent. Je vis et je fais vivre les autres. J'arrête tout. Je peux tout arrêter. Mais je suis humain. J'ai peur de déplaire à ma mère. Ma mère est bonne; elle sait ce que c'est que la pitié et la générosité. Que deviendront ceux qui vivent de mon travail ? Je suis humain et croyant. J'ai été communiste quand j'étais étudiant. Un égarement d'adolescent. Ou plutôt de l'expérience. Comme on dit, « qui t'a précédé d'une nuit, a appris une ruse de plus que toi » (je traduis littéralement). Or moi, personne ne m'a précédé ni devancé. Je ne fais pas de politique. L'autre jour, il y eut une grève dans l'usine de chaussures. Je vais t'étonner : c'était une grève juste. Je sais, les salaires ne sont pas élevés. Mais c'est ainsi. A prendre ou à laisser. Je fais travailler des familles entières, le père, la mère et même les enfants, ceux qui sont en âge de travailler. La grève était juste mais elle m'a fait perdre de l'argent. Eh bien, je n'ai pas appelé la police! Non, j'ai appelé mon avocat qui a déposé plainte pour sabotage et perte du capital. L'avocat a été formidable : non seulement le travail a repris, sans qu'aucune revendication ne soit satisfaite, mais il a réussi à trouver les meneurs, à les inculper et à les mettre en prison. Je ne réclame plus le dédommagement. Moi, je suis avec la loi. Tout en règle. Je suis en règle avec Dieu et son prophète. Je suis en règle avec ma mère et mon épouse. Je suis en règle avec la société et l'État. Je suis en règle. Voilà. Va maintenant écrire tes bouquins. Tu seras peut-être en règle avec les mots, pas avec les hommes, pas avec ta mère, pas avec l'État et la société.

Après ce flot de paroles, je me suis retiré dans la montagne, à la recherche d'un peu d'eau et de quelques olives. J'avais la fièvre. La terre se fissurait sous le soleil. Alors j'ai vu. Le cheval fou était dans la plaine. Sur ce cheval un corps frêle. Le figuier s'était baissé. De nouveau le silence et les bribes d'une voix familière. La voix de mon enfant entre leurs mains.

Je l'entends.

Je le vois.

La porte s'ouvre. Des mains gantées te détachent. Sur les yeux, la même bande de tissu noir. Ils te guident. Tes jambes ont oublié la marche. Tu ne sais plus marcher. L'air du matin est frais. Lavé par le vent de la nuit. L'herbe est mouillée. Tu avances et tu ne penses plus. Tu veux respirer l'air et caresser l'oiseau. Le vent du matin passe sur ton visage. La main froide de ta fille sur ta bouche. Tu ris. Elle passe le doigt entre tes lèvres. Tu ris très fort. Elle court dans le verger et se cache derrière l'arbre. La voiture a du mal à démarrer. Tu penses à un accident. Il n'y a jamais d'accident dans ces cas-là. Ils seront tous blessés. Et toi tu partiras te réfugier chez les paysans. La voiture a longtemps roulé. Peut-être qu'ils ont tourné en rond. Juste pour mentir. Faire semblant. Te donner l'impression d'un autre lieu, une cave dans une autre ville. Un autre labyrinthe. Un puits visité par quelque saint. Un arbre qui protège les fous et les enfants. Et tout recommence. Les mêmes questions. Les mêmes menaces.

Et toi
la main
ailleurs...

Tu es comme le chameau Tu es le chameau. Un prince du silence profond. Un chameau qui a égaré le lieu et le maître. Tu es arrivé sur la nostalgie du chant, le ventre plat et l'œil humide. Tu répandais de l'encens dans les quartiers de la ville. Tu parlais aux hommes borgnes et aux enfants. Le chameau t'a suivi. Il a livré les jarres de miel et conduit les citoyens du retour. Tu parlais du Nord du pays. Tu parlais de la terre. La terre s'ouvrait. Elle s'ouvre pour ceux qui donnent l'amour.

Quelques nuits. Quelques rêves. Le corps suspendu. Tête en bas. Tu as eu peur de perdre la motte de terre et la poignée de sable. Tu as eu peur de voir tes souvenirs filer avec le sang qui coule déjà. La tête en bas! Quelle différence pour des yeux bandés ? Comment retenir les rêves ? Tout semble t'échapper. Tu repenses à l'accident. Une éventualité. La corde n'est peut-être pas très solide. Tu te balances. Le fou rire t'aide à te balancer. C'était ton frère aîné qui t'avait poussé. Tu t'étais cassé une dent. Le cimetière. Tu sens qu'il est voisin de la nuit. Le mur est fissuré. Tu traverses la pierre avec légèreté. Les morts t'ont dit « Sois généreux avec l'herbe du cimetière! » Tu t'es posé sur une dalle tombale. Tu as interrogé les étoiles.

Personne ne t'écoutait. Alors tu as appelé ta mère Elle avait des bracelets en or aux bras. Elle t'a raconté une histoire. Sa main blanche a pénétré dans une cage et a pris une colombe Elle l'a serrée contre sa poitrine. L'encens du paradis l'étourdissait Tu as pensé de nouveau à la mort. La mort de ta fille Tu t'es balancé si violemment que ta tête a buté contre la pierre rugueuse. Le ciment est froid. Il a gardé en lui un ruisseau. L'eau tombe goutte à goutte dans cette nuit haute dans le ciel. De nouveau la confusion. L'absence de soleil. De la difficulté à te souvenir. C'est la lassitude. Comme une source tarie.

La main.
Seul édifice
sublime
dans la chevelure
de la mer.

Elle donne sur la fenêtre. La douleur physique est dissipée, mais le jour est encore confisqué par leurs mains. La bande noire a été remplacée. Le tissu est plus épais. Plus résistant. Les questions tournent dans ton ventre. Le sel a brûlé tes intestins. L'amour dans la prairie. Enveloppée dans un voile bleu. Tu aimes ses yeux. Comme la tendresse pour l'oiseau orphelin. L'oiseau mange le miel sur les lèvres du jour. L'écume retournée comme la paresse de tes pas sur le sable. Elle laisse un peu de sel sur tes pieds. Tu te dis : « L'eau est politique! » Dans ton pays le partage de l'eau est une affaire politique. C'est comme la terre et l'olivier. D'ailleurs ce sont les forces de l'ordre qui ont tiré les premières. Les autres se sont défendus, comme ils ont pu. Avec des pierres, des haches ou des fusils de chasse. De toute façon, tu n'y es pour rien. C'est-à-dire que si tu étais avec les paysans, tu te serais battu toi aussi. Mais on t'a arrêté un peu pour l'exemple. Ils n'ont rien de précis à te reprocher. Bien sûr tu as des idées sur la marche des choses. Tu n'appartiens pas à un parti déterminé. Un groupuscule Voilà. Tu es en prison pour délit d'opinion. Flagrant délit d'opinion. Alors ils veulent tout savoir. Combien de petits soleils tu as capturés dans ta tête ? Combien de lézards tu as vendus au charlatan ? Combien d'enfants tu as entraînés dans la falaise ? Combien d'armes tu as enterrées ? Et puis, il y a tes rêves. Ils sont encombrants. Ils sont trop pleins de couleurs et de musique Ils te trahissent. Tu ris des mots que le vent dépose dans les rides de la muraille. Tu ris parce que le printemps rapporte le chant des enfants égarés dans le bois. Tu as dit un jour : « La lutte des classes est née sur cette terre violée. » Tu as longtemps vécu sans aimer. Tu as retenu le souvenir de la terre blessée. Tant de corps dépossédés. Nus. Refusés à la vie. Un miroir danse. Tu tends la main. Il fait froid. Ils ont ouvert la porte. Ils doivent se relayer. Tu commences à les reconnaître. Tu reconnais la voix et le rire. En général ils sont trois. Il y a l'équipe de nuit et l'équipe de jour. Ils se racontent des histoires tout en faisant le travail. C'est un métier. Pas comme les autres. Tu n'imaginais pas les choses. Les camarades t'en parlaient. Il a fallu passer par là pour comprendre

Enfin, qu'importe! Ils sont là et ils vont se mettre à la besogne. L'un fume un tabac anglais. Tu détestes ce genre de cigarettes. Tu préfères d'ailleurs te fixer là-dessus. Le tabac te donne la nausée, surtout quand tu as le ventre creux. Il fume sans arrêt. Il faut bien qu'il fume, car il va devoir écraser ces saloperies de cigarettes anglaises — grasses et sucrées — sur ton corps. Tu préfères détester la fumée pour n'être pas là au moment où la braise troue ton ventre. Ce matin tu as du mal à partir. La fumée ne suffit pas. Alors tu te demandes s'il aime fumer ou s'il préfère éteindre la cigarette sur ton corps. Tes pensées sont petites aujourd'hui. Les images sont floues. Tout t'échappe. Tu vas devoir y passer. Espère alors que la douleur sera tellement forte qu'elle t'emportera dans une absence longue et profonde...

Ils ont fait des trous dans ta poitrine. Quand tu as perdu connaissance, ils t'ont ranimé. Ils t'ont jeté des seaux d'eau glacée sur le visage. Le réveil a été désastreux. Ta stratégie est en défaillance. Tu n'arrives plus à détourner la douleur. Tu es pris dans leurs mailles. Ils le savent et rient. Il y en a même un qui s'est penché sur toi et t'a dit : « Ne m'en veux pas, fiston. C'est pas moi qui commande. Je ne sais même pas pourquoi tu es la. Je fais mon métier. Je dois te cuisiner. Je dois te préparer pour l'autre équipe. L'équipe des cravatés. Peut-être qu'en ville on serait devenu copains. Moi aussi je trouve ces pratiques moches *(grand éclat de rire)*. Mais il faut bien jouer le jeu. C'est toi qui nous obliges à faire ce qui nous répugne. Si tu parlais, si tu donnais rien que quinze noms, on s'arrêterait. C'est dur. J'ai un fils un peu plus jeune que toi ; mais, lui, il ne fait pas de politique. Allez fiston, prépare-toi. Nous, notre travail est terminé. Tu vas passer maintenant à un autre service, celui du troisième sous-sol. Eux, c'est simple : de vraies machines. Rien dans le cœur. En plus, ce sont des étrangers. Des techniciens de l'étranger. Ils ne parlent pas un mot de notre langue. Ils exécutent le programme. Se lavent les mains et s'en vont. Tu verras, ils ne te causeront même pas. Salut, fiston ! A un de ces jours... *(et, à voix basse)* si tu t'en sors... »

Un panier de figues et de pain pour l'enfant. Le temps pouvait s'arrêter. Moha était habité par cette voix qui sortait de la terre. Il marcha longtemps. Il parla au ciel. Il cria. Que faire de cette colère ? Que faire de cette haine contre des ombres et des mains invisibles ?

Il eut un sursaut et poussa un hurlement : il n'entendait plus la voix de l'enfant. Interrompue au milieu d'une phrase. C'est peut-être le cœur qui a craqué. Il hurla de toutes ses forces : « Ils l'ont tué; ils l'ont tué! » Il se précipita en ville et renversa de rage les étalages des commerçants. Il bavait et criait :

Mon enfant est mort! entre leurs mains d'acier! la haine l'a assassiné... Que vont-ils faire à présent d'un cadavre ?... un corps tendre, une terre nubile... je l'ai vu naître comme un printemps entre l'herbe et la pierre.

Mon enfant!
Je déterre les morts
et j'arrive...
sur un cheval taillé dans le ciel

je ne porterai pas le deuil
je chante et je ris
je danse sur des miroirs
captifs du soleil
j'arrive...

Il y avait des failles dans la mémoire de Moha. La visite de la grande maison (le cirque de l'exubérance, comme il dit, et il ajoute, la cour de la sottise et de la vanité baveuse) l'avait accablé. Et pourtant, il pensait que sa folie le protégeait assez contre la bêtise et la méchanceté. Il avait mal dans la tête et le ventre. Et puis il souffrait de la démence généralisée. L'enfant qu'on arrache à la prairie et qu'on étrangle dans les souterrains de la haine. Il cita un philosophe, un homme qui a longtemps marché sur les cimes des montagnes : « La souffrance profonde ennoblit: elle isole. » Il déposa un certain nombre de masques sur la pierre et nomma le dégoût. Le naufrage ne pouvait être un malentendu.

Après un long moment de silence, Moha sentit le besoin d'aller retrouver son vieil ami Moché, le fou des juifs. Le mellah n'existait plus depuis des années. Moha ne savait où trouver son ami. Il eut un moment d'angoisse : et si Moché avait été emmené en Israël ? Non! Il crèverait plutôt que de partir en terre d'exil: et puis il était trop vieux pour s'embarquer dans une aventure incertaine. Il se sentait bien dans son pays. Il avait quelques petits tracas avec les gamins musulmans mais il ne s'énervait jamais. Quand ils le provoquaient trop, il allait en parler avec Moha qui intervenait auprès d'eux et leur intimait de cesser leurs plaisanteries. (La colère des gosses eut un jour pour cible les deux fous.)

Moha entreprit des recherches; il imaginait mal le bon vieux Moché enfermé dans un appartement de la grande ville. Ils étaient de la même race, celle qui ne peut vivre que dans l'espace illimité. Il consulta l'arbre, qui était sans nouvelles de Moché depuis longtemps. Ce fut auprès de Harrouda, la vieille sorcière des grottes, (rien à voir avec son homonyme. la putain des villes) qu'il apprit que Moché vivait avec ses enfants dans un appartement du centre ville Moché enfermé! Quelle dérision!

Il était triste et silencieux. Il fixait le mur et s'endormait à longueur de journée, la bouche ouverte Réduit à la vieillesse, Moché s'accrochait à ses souvenirs. Une vie pleine d'événements et de rire. Quand il vit Moha, il eut les larmes aux yeux. Un vent de liberté avait soufflé sur sa mémoire rayée. Il faut dire qu'il avait du mal à passer d'un souvenir à un autre Il s'installait dans un moment précis et n'en sortait pas. Il piétinait et tournait sur place autour des morceaux de souvenirs. Un événement revenait sans cesse : les soldats français tirant sur la foule — juive et musulmane — qui manifestait à l'entrée du port C'était au début du siècle; l'armée française s'installait dans le pays. Il y eut beaucoup de morts Tous des ouvriers, des pêcheurs pauvres. A l'époque, l'administration coloniale ne faisait pas de différence entre les juifs et les musulmans. Ce fut lors de cette manifestation qu'il connut Moha. Ils décidèrent de former un groupe « de démence infernale » pour lutter contre l'occupant. Les Français et les mouchards ne savaient jamais comment déjouer leur folie. Les militants, ceux qu'on appelait les patriotes, les connaissaient bien et leur confiaient de temps en temps de petites missions. Ils transmettaient les messages aux résistants et il leur arrivait même de passer la frontière avec des armes; à l'époque, les deux pays frères s'entraidaient.

Moché :

Les enfants d'aujourd'hui ont la tête pleine d'images du futur, mais du passé, rien. Leur tête n'est pas vide, mais elle est occupée par des choses futiles. Tu te rends compte, Moha ? Nous sommes réduits à vivre dans le plastique, le formica et le manque de tendresse! Le temps passe vite et efface tout. Quelle vertu le temps nous a-t-il laissée ? Un peu de malice pour jouer avec l'éternité, une haie de chardons, un ciel vaste et convoité, l'amour et l'astre d'émeraude. Oh! Moha, notre vie a été longue malgré les moisissures. Ainsi est le temps. Des perles et des hasards. Un sac d'épices importées d'Afrique. Nous sommes, toi et moi, encore capables de réussir la mixture qui déclenchera les tonnerres de rire et d'écume. La seule chose que je ne peux plus faire, c'est danser. J'ai perdu mon agilité. Je me déplace difficilement. Mes enfants sont tous très occupés. Ils font des affaires. C'est pour cela que je ne vais plus consulter l'arbre. De mon fauteuil, j'entretiens de bons rapports avec la lune. As-tu remarqué l'impatience des hommes ? Ça doit être la grande lassitude tant annoncée. Une main étrangle; l'autre caresse. Mais que le ciel soit délivré et nous pourrons reprendre notre route. Aujourd'hui, plus personne ne s'arrête; on ne fait plus de halte; la vie va et les hommes s'échangent les masques. La brutalité des États rivalise avec celle des individus. L'époque est prise de fièvre et de morosité. Des incendies se déclarent un peu partout dans les corps. La raison est lasse. Notre folie aussi. La démence meurtrière, mon cher Moha, accède à l'ordinaire. Tant de déchirures! Quelle déchéance! Je regarde l'horizon, il est habité des mêmes nuages, mais encombré plus que jamais de vérités tronquées et d'illusions brûlantes. C'est l'époque du simulacre. Telle est la dictature du temps. Tiens, c'est une larme ? Non. Mes yeux sont simplement fatigués. Tu te souviens de mon neveu. Un garçon qui a une bonne tête. Il a écrit l'autre jour notre histoire. Il s'appelle Amrane. Écoute ce qu'il vient d'écrire sur nous, les juifs de ce pays. « Qu'on s'en souvienne. C'était à peine hier encore. Donc insensiblement dans la banalité indifférente du quotidien des petites choses sans importance, le changement, l'altération avançaient inexorablement comme une coulée de lave. Ne pas rire trop fort, ne pas parler à trop haute voix, jeter le voile de la discrétion sur les couleurs trop vives, rompre le lien charnel avec la nourriture, ne plus manger avec les doigts, donc emprisonner le plaisir dans une bouche fermée, ne pas dire « Ah », mais le « Aïe » français, poli et neutre, quand on a mal, ne plus dire ima, mais maman, autant d'interdits pour apprendre à ne pas vivre. » Voilà où nous en sommes aujourd'hui, plus nus qu'avant. Avant, c'étaient les étrangers qui nous dépouillaient de nos habits traditionnels; aujourd'hui, c'est nous-mêmes qui les ôtons et les jetons dans la fosse de la honte. Là, je me sens en train de perdre ma folie, le peu de liberté qui me restait. Ils partent tous vers la conquête des vents. Ils manquent d'insolence. Tu vois, le rire devient rare et la vie pesante. Il y a beaucoup de lourdeur dans cette agitation. Les jeunes manquent de légèreté et de dérision. Oui, il y en a qui sont partis sans rien dire, partis vers le rivage maudit.

Moha :
Tu sais, Moché, chaque juif qui quitte le pays, c'est un peu de moi-même qui s'en va. Un

jour, je vais me retrouver sans mon corps, avec juste une ombre. Ils partent tous. Mais de quoi ont-ils peur ? Quel malheur ! Il paraît en plus que les juifs d'Europe et d'Amérique, tu sais, les plus riches, méprisent nos enfants. Ils ne sont pas heureux là-bas, je te jure ! Alors ils arrivent avec des valises d'illusions et après ils se rendent compte que c'est difficile de vivre sans ses racines. Ils meurent de nostalgie et de mélancolie. Il y en a qui ne parlent pas un mot d'hébreu. Ils ne connaissent que l'arabe ou le berbère. Moi je sais qu'ils ne sont pas heureux là-bas. On ne quitte pas un pays si facilement. La terre vous habite...
Dis-moi, Moché, as-tu des nouvelles de la chèvre ?

Moché :
Non. Elle a dû tellement vieillir... J'ai vu l'autre jour l'araignée bleue, mais je n'ai pas osé l'entretenir de quoi que ce soit. Tu sais, je deviens méfiant. Avant, c'était la gloire, j'étais le seul juif à dénouer les mauvais sorts et à briser les lames de la sorcellerie. J'étais fort et sûr de moi. J'étais fort pour dénouer l'impuissance sexuelle. J'ai vu des hommes venir se jeter à mes pieds en larmes pour que je leur rende le pouvoir... Parfois la pitié m'étranglait. Je ne savais que faire. Un

homme qui cesse d'être un homme et qui met sa vie entre tes mains, ce n'est pas facile. Ce que je n'appréciais pas, c'était toutes ces bonnes femmes qui voulaient jeter un sort à leurs époux infidèles. Tu te rends compte, donner l'impuissance et l'éloigner ensuite! Un jeu dangereux. Je me demande pourquoi, chez nous, les juifs ont la réputation d'être de bons sorciers ? Mais moi, j'étais un mauvais juif; je n'étais pas croyant et pourtant je n'excitais pas le diable, je le chassais plutôt. Des fois, c'étaient les cheikhs musulmans qui pratiquaient le démon, et c'était moi qui expulsais le mal du corps... Non, pas de nouvelles de la chèvre. Je suis loin de tout. A présent je médite. Oui, je médite sur la mort. Je passe mon temps à la contempler. Je la vois venir. Sur l'épaule d'une enfant. Je n'en ai pas peur. Ce qui me fait peur, c'est l'usure. Tu vois par exemple tante Hnina (c'est beau de s'appeler « tendresse »: elle vit seule depuis la mort de son mari; ses enfants sont partis au Canada et au Brésil, mais elle a adopté une petite musulmane du bidonville nord), donc tante Hnina, elle ne me reconnaît pas toujours. Elle entre et sort dans les paroles. Elle mélange tout. Moi. j'ai pris une décision : lorsque mon corps commencera à se tasser sur lui-même, lorsque ma mémoire deviendra une bouillie, j'irai mourir dans l'arbre. S'il n'y a pas de place dans l'arbre, j'irai dans ma grotte. Je n'ai pas envie de mourir de solitude, comme d'autres meurent de cancer. Au moins, dans l'arbre, il y a tous nos souvenirs; et il y a toujours un gamin, un orphelin envoyé par le vent pour vous tenir la main. Mes enfants ? Je ne les vois presque jamais; je crois que je leur fais honte. Ils ont peur de la folie. Alors je leur ai dit un jour que la folie n'était pas héréditaire. C'est dommage d'ailleurs! Parce que là, ils vivent sans poésie, sans largesse, sans tendresse. Ils font des affaires. Ils font de la vitesse sur les routes. Un jour ils perdront la vie à côté du soleil. C'est indigne! Enfin, ne m'oublie pas, toi. On ira un soir parler à la mer comme on faisait autrefois. Tu te souviens? On hurlait jusqu'à l'apparition de la sirène. Quelle beauté! Quelle émotion! Moi je perdais le souffle, et toi tu restais la bouche ouverte avec de la salive sur le coin des lèvres. On avait au moins cette joie et ce pouvoir unique au monde : sortir les sirènes et danser sur le sable jusqu'au matin. On revenait en ville complètement ivres. On s'endormait des jours et des jours pour garder intactes en nous cette nuit et ses images. Tu vois, Moha, avec nos souvenirs, on peut encore vivre un siècle et des poussières... Nous avons une réserve de rire qui peut nourrir toute une génération de fous Mais aujourd'hui, les gens ne sont plus fous. Ils sont malades.

Moha :
C'est le début de la déchéance; le début de la décadence... J'avance parmi la foule comme l'étranger et je hais la juste mesure car elle laisse place à la hargne et à la docilité. Point de folie à attendre de leur médiocrité. C'est ce qu'ils appellent le bonheur. Après la cécité générale, on commence à entrevoir le jour et on a peur de regarder en face le soleil. Voilà où nous en sommes. D'autres ont voulu devenir grands, énormes et hideux. Des gladiateurs sans envergure.
Je te laisse et te baise les mains, ô saint Moché!
Je te laisse et je continue ma route, les yeux ouverts. Je vais à la banque voir monsieur le directeur, peut-être saura-t-il quelque chose sur l'arbre et l'enfant mort au milieu d'une phrase...

Le directeur était un homme occupé. Très occupé. Un homme invisible. Les mains et le corps propres, mais inaccessibles. Les simples employés de la banque doutaient de son existence. Peut-être n'était-il qu'une rumeur. Peut-être que son bureau n'était qu'une salle vide où siégeait un mannequin en cire. On se perdait en conjectures et en hiérarchie.

Moha monta la garde jour et nuit. Il le reconnut un matin quand il descendait de sa voiture.

— Chef! Tu as des nouvelles de la guêpe qui avait piqué ton père ?
— Non. Pas de nouvelles. Mais mon père est mort.
— Je t'accompagne; il faut que je te raconte; je te promets une belle transe comme celle de la dernière sécheresse; tu étais jeune et passionné...
— Je n'ai pas le temps.

— Le temps, je te le donne.

Silence. Un sourire et puis un signe de la tête. Du bureau, le directeur voyait la mer lointaine. Il mit en marche une machine qui reproduisit le bruit des vagues et dit :

— Qu'est-ce que tu veux ? Je n'ai pas d'argent...

— Non, l'argent, garde-le pour t'acheter de l'or. Est-ce qu'il t'arrive d'aller sous l'arbre ?

— Quel arbre ? Non. De toute façon je ne sors pas. Quand je sors, c'est pour aller au cirque. Je sors aussi pour aller au hammam populaire. J'aime cette chaleur ; j'aime les garçons qui y viennent s'amuser.

— L'arbre de tes ancêtres. L'arbre qui avait mangé les enfants du siècle. Si tu te mets sous l'arbre et si tu tends l'oreille, tu entendras les souffrances et les cris de douleur d'un enfant. C'est peut-être mon enfant. Moi, je ne l'entends plus. C'est ce qui m'inquiète le plus. Toi, tu es bien placé; tu es tout près du ciel; tu pourrais intervenir pour qu'on cesse le massacre.

— Quel massacre ?

— Celui des enfants qui naissent avec une étoile sur le front. Tu sais bien qu'on les arrête parce qu'ils ne pensent pas comme tout le monde, parce qu'ils sont innocents et qu'ils disent la vérité sans prendre aucune précaution; parce qu'ils sont nés du désordre...

— Écoute, ici, je ne fais pas de politique. Je suis un directeur, un haut directeur; je ne m'occupe que de ce que je ne vois pas : des millions et des milliards. Le reste n'existe pas. Tes histoires de désordre et de subversion, tes histoires d'étoiles sur le front.. je ne sais pas de quoi tu parles

— Je parle de corps balancés dans le vide et les ténèbres.

— Si tu ne veux pas d'argent, que veux-tu alors ?

— Rien. Je ne veux rien. Pas grand-chose Juste ta cervelle sur un plateau pour l'offrir aux oiseaux de nuit...

— Tu es fou...

— Oui. Saint et fou. Tu n'as jamais touché la terre...

— Écoute, le monde est divisé en parts inégales. Il y en a qui sont désignés pour se mêler à la terre, et il y en a qui sont destinés à vivre dans l'abstrait et le luxe. Rien n'a de consistance pour moi Je passe ma vie à me battre avec des abstractions comme un Don Quichotte; je suis dans une forêt sans arbres. Les arbres, je les invente. Je les plante Je les deplace et les installe là où ça m'arrange. C'est le même procédé pour ce qui est des hommes. Je signe Oui, je ne fais que signer. Un trait oblique et un petit rond à l'extrême gauche. Avec ce signe magique, je peux fermer une usine, arrêter la production d'une mine, renvoyer des travailleurs à leurs cabanes. J'ai un pouvoir infini. Je suis ici, isolé, entouré de portes et de cuir. Heureusement, il y a cette fenêtre. De là je regarde la vie avec des jumelles. Je vois les ouvriers du port charger et décharger des tonnes de marchandises. Ça me rassure. Car la nuit, je dors mal. Ma femme me caresse, mais je dors mal. C'est le surmenage. Difficile de vivre enveloppé par le vent, avec un simulacre de sécurite. L'horizon n'est pas loin. Là, derrière cette porte. Au bout du couloir Un faux paysage, avec un vrai rivage. Des oiseaux empaillés et leurs chants enregistrés. Mais où est passe le pays de notre enfance ? Je m'attendris Non, il ne faut pas me laisser aller A chaque fois que je te vois, tu me troubles, mais pourquoi est-ce que je t'aime bien ? Nous ne sommes pas du même bord. Toi, pourquoi tu viens réveiller en moi cette nostalgie et ces pensées qui font mal ? Tu sèmes le doute et donnes le mal de mer Quand je te vois, je me sens atteint de lucidité. C'est le pouvoir Il me rend fou. Mais pas le genre de ta folie Elle est belle et saine. La tienne. Moi, je suis atteint de la grande maladie dont on ne parle pas je meurs à ce qui m'entoure, pas les objets, mais l'émotion Je n'ai plus de béatitude. Je suis seul. La souffrance isole, dit ton philosophe, mais moi, elle me propulse vers plus de richesses, vers une plus grande nausée Le pouvoir. Ça rend fou. J'ai des boutons rouges dans le dos. C'est le pouvoir de l'argent qui donne ces migraines et ces boutons. Quand il m'arrive de dormir, je rêve de chameaux. Un désert peuplé de chameaux et de chamelles. Un désert où on se noie. Les sables viennent comme des vagues et t'enroulent. Tu étouffes et tu restes en vie, suspendu au vent. C'est l'enfer Plus je monte en grade, plus les vagues de sable avancent. Je voudrais redescendre vers le sol. Être un homme parmi les hommes.

Non. Je suis un homme heureux. Tu ne me verras pas pleurer. J'ai des réserves d'oxygène et d'amour. Dans ce pays, ou bien tu es au-dessus ou bien tu es au-dessous C'est simple. Il faut se maintenir. Les qualités n'ont pas d'importance L'argent, le rang, sont une qualification hautement suffisante et incontestable Je suis un homme comblé. J'ai une famille et des domestiques Tu verras. Malgré tes haillons, je t'invite à déjeuner à la maison. C'est même mieux comme ça, avec tes haillons, je me sens un autre... Mais attention. Pas de commentaires.

La villa est entourée d'une muraille. A l'entrée veille un gardien qui, en l'absence du maître, fume du kif et parle à sa canne d'ancien combattant de l'armée française. Il est là pour faire partie de la muraille. Il se met au garde-à-vous pour saluer le maître. Quand le portail se ferme, on a l'impression d'avoir quitté le pays. On est ailleurs, dans une cascade d'images et de couleurs. Tels des animaux blessés, les domestiques accourent. Sans dire un mot. Rien à voir avec la maison de notre patriarche où la servitude était grossière, où l'ordre ancestral l'emportait sur le calcul froid et égoïste. Ici, c'est la rigueur et la géométrie. C'est déjà de la haute mécanique.

Les gamins appelaient cette villa « Cinémascope », à cause de sa superficie et de sa forme large et courbe. D'autres la connaissaient sous le nom de « Technicolor ». Les gamins faisaient des tournées dans les hauts quartiers et donnaient des noms à ces maisons excentriques. Pas loin de la maison du banquier. il y avait une curiosité une villa en forme de boule de cristal, une boule immense reliée par un canal vitre à une piscine chauffée. Les gamins l'appelaient « Le cirque ». Ils ne savaient pas par où la prendre ni comment la découvrir.

— Moha, tu es étonné ?

— Non. Je pense au serpent enlacé autour du soleil. Je me demande : que ne vient-il, celui qui nous a promis le vertige ? Les vagues au-dessus de nos têtes et l'astre déposé sur la rive...

— Pourquoi ce pessimisme ?

— Je ne suis pas désespéré. Je suis lucide.

— Je vais te parler en toute lucidité : nos pays sont, ainsi, voués à pratiquer et à laisser pratiquer la corruption. Moralement c'est condamnable. Mais la morale ne fait pas l'économie. La religion ? Elle condamne la corruption, comme elle interdit le vol, le mensonge, etc. Si on était réellement musulmans, on fermerait toutes les banques. A partir du moment où tu fais de l'argent avec de l'argent, tu as fauté. Donc laissons de côté la morale et la religion. Du point de vue humain, il faut faire quelque chose. Je suis humain. Trop d'ailleurs. J'emploie beaucoup de domestiques. Je n'ai pas vraiment besoin de toute cette tribu. Revenons aux banques : tu imagines la faillite que cela entraînerait ? Tous les musulmans — riches et pauvres — décident de retirer leur argent. C'est pire que la bombe atomique. Notre destin frise en permanence la tragédie. C'est cela notre vie aujourd'hui : jouer avec les ficelles du tragique sans se laisser prendre dans le piège. Moi, je parle un langage clair et net, un langage scientifique. Toi, tu m'opposes la poésie. Je hais la poésie. C'est de la lâcheté. Je hais le romantisme de nos politiciens, qui sont toujours en retard d'une nostalgie. Ce qui manque à nos pays, c'est un peu plus de fermeté... Avec cette politique des crédits, on va bientôt ne plus avoir de terrains pour nous. Tous ces travailleurs émigrés qui achètent des terres... je les connais bien. Notre banque s'occupe d'eux. Ils ne sont pas si misérables qu'on le dit. Ils font semblant d'être pauvres. Le petit fellah du coin va lui aussi construire une villa! Il va avoir une maison et, pourquoi pas, des domestiques.. Tu me parles de démocratie. La démocratie, c'est une idée importée, comme le socialisme. Tout ça c'est de l'importation. Importation clandestine, invisible! Supposons que demain, on laisse faire la démocratie; les gens voteront pour des paysans, des pauvres types qui ne savent ni lire ni écrire... Tu vois, toi, la Chambre des députés pleine de paysans ?... De quoi ils vont débattre ? De vaches et de chèvres. Cela me donne la nausée. Il faut un système fort pour que les divisions naturelles soient respectées. La corruption, c'est une façon de sauver notre économie. Tu paies à un petit fonctionnaire un salaire bas. La vie est chère. Tu le pousses à récupérer le reste dans les poches de ceux qui ont les moyens. En fait, c'est une économie parallèle. Rien de mal a cela. C'est un système de récupération. On s'y habitue. Tu me dis qu'un pays où la corruption se généralise, c'est comme un fruit qui retient ses vers en lui. Oui, le pays est plein de vers, des petits, des gros, des vers à bile, des vers de couleur... Le jour où il y aura assez de vers dangereux, le fruit s'écrasera contre la pierre. D'ici là, il faut savoir vivre, vivre avec son époque. Ce qui me fascine, c'est que j'entends depuis vingt ans que nous allons vers la catastrophe, vers la ruine, vers la mort. Tu trouves que les riches continuent de s'enrichir et les pauvres de s'appauvrir ? Non, tu ne connais rien à la réalité profonde du pays, la réalité scientifique. Chez nous, on continue de faire les mêmes rêves, les mêmes discours. Tu me comprends à présent ? Moi aussi, je suis lucide.

— Pour cette lucidité meurtrière, très dur est mon cœur. Pour cette haine des pauvres, ma patience m'étrangle. En t'écoutant, tout dépérit en moi. Ni fou ni sage. Je suis une épave derrière la muraille et la honte. Je partais vers les temps lointains; sur mon chemin un âne égorgé par des travestis; la mort joue du piano. J'ai fui

Je me fraie un chemin dans les mots et vous laisse seuls juges.

Moha reprit sa route vers les hommes et l'époque. Il vit Harrouda sortir d'un buisson. Elle lui dit : « Va, continue ton chemin, la ville, le pays t'attendent. Ta parole manque au temps. N'en sois pas avare. Qu'importe la honte qui n'apparaît plus sur les visages! La pudeur n'a plus cours. Va sur la grande place. Des hommes, des femmes, des enfants et quelques bêtes t'attendent. Depuis que tu es parti dans le labyrinthe des gens riches, nous attendons ton retour, nous espérons ta colère, nous nous préparons pour la vengeance. L'enfant disparu, c'était aussi le mien... »

Je vous parle aujourd'hui de la mer. Même la mer a quelque chose de faux ce matin. Tout est figé. Tout est immobile dans vos calculs et vos répétitions. La prière comme le mensonge. L'espoir comme la fatalité. Quelle planche de bois sans parfum! Tout s'est arrêté depuis longtemps, et vous ne le savez pas. S'il n'y avait les enfants et quelques vieillards fous de lucidité, c'est tout le pays qui serait dans le coma. Un coma prolongé. Comme un corps anesthésié. Les guérisseurs ont pris la fuite. Tout s'est arrêté; sauf votre sang qui continue bêtement de tourner. C'est la grande nausée. Je ne reconnais plus personne. Tout est figé comme vos certitudes et vos petits arrangements. Vous êtes nés la bouche fermée sur des certitudes. Sauf la vipère. Elle est née enlacée à l'astre suprême. Elle est née de la figue éclatée par tant de miel et de sang. Ah! vous n'êtes plus mes frères, ni mes semblables. Aujourd'hui, grâce à vous, je connais la solitude. Quelle misère : rien ne vous dérange. Ah! oui, la mort, l'image de la mort. Il est question de mourir plus d'une fois, et vous faites semblant de vivre. Adieu compagnons! Seul le chameau a su vous apprendre la haine de la médiocrité. Mais que de mépris vous avez eu ! Que de sarcasmes vulgaires ! Mon ami le chameau a tout entendu. Il est resté silencieux. Il a pleuré et disparu. Que l'avenir soit léger pour toi, ô compagnon ! Que le ciel soit proche de ton amour et que les larmes soient les larmes du matin. La nostalgie est un voile, un masque de l'oubli, une digue levée parmi les vieilles pierres. Vous reste la nuit où vous croupissez, corps gras, corps pendants. Mais la nuit n'a point de ventre pour réchauffer vos mains. Elle a des trappes et des sanglots lourds. Pour votre égoïsme. Pour vos calculs. Vous dormez enlacés à vos biens, votre fortune moins le ciel. Le matin, il se dégage de vos corps las et froissés l'odeur de la banalité. C'est là votre honte discrète. C'est là l'amnésie impossible. C'est là l'impossible révolution... Révolution, ai-je dit ?

Oui, tu as parlé de révolution. Tu n'as pas cessé d'injurier les honnêtes gens. Qu'est-ce que tu veux ? Dis-le et ne te cache pas derrière les mots. Tu veux renvoyer tout le monde au chaos ? Tu veux notre mort, tu veux notre disparition totale ? Le million de martyrs ne te suffit pas ? Qui te paye ? Qui t'envoie ? Pour qui travailles-tu ? Tu ne vas pas nous parler encore de tes histoires d'ogre et d'ogresse qui meurent d'amour...

Les mots. Avec les mots, je me fabrique une haie, mais une haie tellement transparente... Les mots sont dangereux, quand ils proviennent d'un abîme, de dessous la terre, de derrière les pierres et les murailles. Connais-tu la douceur des larmes d'un enfant? Connais-tu la douceur des jeunes filles qui regardent le printemps dans le miroir? J'aime les seins des jeunes filles... Ma main les touche à peine et mes yeux se ferment sur l'éternité d'un regard, une audace, une grande tendresse. Connais-tu la douceur du sein entre les lèvres d'un enfant?

Ah! c'est la mort. Tout ce qui bouge vous dérange. Tout ce qui vit vous fait peur. La mort est dedans. La mort. Un philosophe a dit que c'est « la plus puissante des anti-utopies ». Au moins pour moi, je sais que c'est un jardin. La haine et la violence, je les mets dans le sac de vos banalités. La banalité est du côté de la mort; elle est soumission à l'ordre des choses et des hommes; elle arrête la révolution... Tu comprends? Je n'ai pas d'énigme à te proposer. Tu ne vois pas les vagues monter, ni les vents arriver et tu ne pourras pas danser au moment du dernier soupir, car c'est en dansant qu'il nous faudra mourir...

Alors prépare-toi à danser...

Mes sarcasmes n'ont jamais troublé le sommeil de l'enfant. Mes sarcasmes, je les lis dans le ciel et sur votre visage. Ils sont inscrits sur la pierre. Effacez la moisissure qui couvre votre pensée et vous rirez avec moi de nous-mêmes. Je ne suis épris que de la forêt qui dit la vérité. Mais la forêt avance. J'aime la mer quand elle bafoue vos croyances. J'aime les enfants, qui vous empêchent de dormir; les gamins qui occupent la ville et vous donnent des hallucinations. J'aime quand la terre balbutie ses colères et quand le ciel me contredit. J'aime l'aube et le crépuscule. J'aime les matins tachés d'ombres.

Vers les hommes naufragés je vais aller. Vers le silence des pierres je vais me retirer. Vers les sables je vais me tourner. Car j'ai encore un long chemin à parcourir. J'ai encore de dangereuses trappes à couvrir. J'ai un souvenir oublié. Un pays au bout de mes mots. Et le vent qui me pousse est plus fort que mes mots. Je reviendrai, après, avec de nouvelles bourrasques. Soyez là pour les contenir...

Ici tout va vite, très vite, plus vite que le vent, plus vite que les pensées de ma mère, et rien ne bouge. On dit que tout va changer. On court dans toute la ville. Même à la campagne, j'ai vu des paysans courir derrière des machines. Tout le pays fait de la vitesse. Mais que de la vitesse. Que du vent. Froid. Chaud. Violent. Et moi qui regarde avec au fond de l'âme un lac où se reflètent les petites étoiles. Je regarde et je sais. On n'avance pas. On ne piétine pas non plus. On marche, on court, mais c'est comme si on restait sur place. Ils ne le savent pas, eux. Si au moins ils m'écoutaient. Ils économiseraient un peu d'énergie et de rire. Regarde là-bas, tu vois ce gamin, lui, il sait pourquoi il court. Il monte sur un roseau et fait de la vitesse. Moi aussi je cours, mais je m'arrête souvent. Heureusement d'ailleurs. Sinon, qui surveillerait ce territoire ? Qui oserait dire la vérité ? Je suis fou. Ils le croient. Tant mieux. Car si je n'étais pas fou — ou considéré comme fou — il y a longtemps qu'ils m'auraient enfermé ou piétiné dans le marché. Une fois, c'était avant l'indépendance, je hurlais dans le marché contre la présence des Français chez nous. Non, ce n'était pas dans le marché central, c'était dans la casbah (je confonds tout!). J'étais fou, alors je pouvais tout dire. Tout dire! Quel programme! Il y avait un officier français qui se méfiait un peu. Il doutait de ma folie. Il travaillait avec un mouchard du quartier — tiens, aujourd'hui, il est sous-préfet ou directeur, je ne sais plus. Oui, le mouchard glissa dans l'oreille du Français que je faisais le fou et que mon langage était codé. Codé! Ils m'ont embarqué. Je crois qu'ils m'ont donné cent quarante coups. Je les ai comptés. C'est normal. Il faut rendre coup pour coup. Enfin, la folie, ça ne marchait plus. Ah, j'ai trouvé, ça me revient : le mouchard, c'est lui qui délivre les passeports aujourd'hui pour les frangins qui partent là-bas. C'est ça la vie! La mer se mêle aux sables et enfante un monstre. Le monstre est une pierre énorme qui roule dans le temps. C'est ce que disait le chamelier. Il disait aux monstres : « Courez, courez, au bout du chemin vous trouverez un âne, il ne va pas vite, mais il vous emmènera en enfer. » Je pourrais un jour vous raconter l'histoire des Français chez nous, mais pas aujourd'hui. Il faut du temps et surtout pas d'orage. Or tu vois le ciel, il est chargé de brume et de lassitude. Je sais pourquoi. Je suis bavard. Il faut que je m'arrête. Mais je ne veux pas qu'on me couse les lèvres. Oh, je saurai déjouer tous les complots, puisque dans ce pays tout se fait en ayant l'air de ne pas se faire. C'est compliqué. C'est grave. La situation est grave, comme on dit. Mais on ne le voit pas, on ne le sent pas. Il faut venir de l'Inde ou de l'Amérique des Indiens pour le voir, pour s'en rendre compte. Je propose qu'une fois par an, on invite un Indien d'Amérique à venir visiter notre pays et ensuite, il nous dira ce que nous sommes, où nous allons, vers quelle catastrophe nous nous précipitons... La parole de l'Indien est une parole sacrée, comme sa terre, comme son histoire. Sa parole est faite de vérités dures. Ici, personne ne pense aux Indiens. Et pourtant, nous avons quelque chose de commun avec eux : une blessure aux genoux. Moi, j'aime les Indiens. J'ai un frère indien. Il a cent quarante-trois ans et un soleil dans la main. Je l'ai vu pour la première fois quand les soldats américains nous avaient parqués dans une réserve. A l'époque j'avais cent ans et quelques lunes. Ma vue baissait. Mais j'ai reconnu, en mon voisin, un frère. Nous étions nés de la même jument, la terre sacrée. Nous partagions le même pain et l'histoire nous avait destiné un même linceul des feuilles larges d'un arbre inconnu; elles étaient si larges qu'on les utilisait comme couvertures. C'était une époque traversée de sang et d'amitié. Reclus dans l'oubli, on renaissait avec le soleil. Écoutez cet hymne à la terre que récitent mes frères sioux :

« *O Toi, Terre sacrée d'où nous sommes sortis, Tu es humble tout en nourrissant toutes choses, nous savons que Tu es sacrée, et que tous nous sommes parents avec Toi. Grand-mère et Mère-Terre féconde, pour Toi il y a une place dans ce Calumet. O Mère, puisse ta nation s'avancer sur le sentier de la vie, face aux vents violents!*

Puissions-nous marcher avec fermeté sur Toi! Puissent nos pas ne jamais hésiter! Nous et tout ce qui se meut sur Toi, nous envoyons nos voix au Grand-Esprit! Aide-nous! Tous ensemble nous crions comme un seul : Aide-nous! »

J'ai marché sur la Terre et j'ai pleuré. J'étais seul mais il y avait un peuple avec moi. Ma poitrine était pleine de sa chaleur. J'ai marché longtemps et je sentais ce peuple avancer avec moi, comme une prairie, comme un nuage. Peut-être que je rêvais. Peut-être que j'ai marché sur la Terre sacrée de mes ancêtres, avec mes pieds nus et mon corps fou. J'ai donné mon corps aux blessures du temps et de l'exil. Les rides se sont fermées sur un astre éteint. Mes mains se sont fermées sur la terre ocre. J'entends encore cet enfant de Rapid City qui disait : « *Demain une balle peut t'atteindre. Ce soir, ils peuvent t'arrêter. Aujourd'hui même, la société peut t'enchaîner. Ce n'est pas à toi de faire le choix. Le seul choix que tu as, c'est d'aimer, ou de ne pas aimer.* » Aimer ou ne pas aimer... J'ai aimé une femme, elle m'a quitté. J'ai aimé la terre, elle m'a retenu.

D'un autre amour. Aimer. Mais vous êtes indignes d'amour. Vous n'aimez que l'apparence. Vous n'aimez que l'argent et l'or. Et moi je ris pour vos nuits sans amour. Je hurle. Mais sortez de vos trappes, venez rejoindre vos enfants blessés, meurtris derrière la muraille, remontez de vos puits et déterrez votre haine. C'est le moment de quitter la litanie, de rompre la mélodie... Mais pourquoi vous ne m'écoutez plus ?... Pourquoi personne ne s'arrête ?... Venez, approchez, j'ai d'autres histoires à vous conter... belles et terribles... N'ayez crainte ! je n'irai pas interrompre votre sommeil ; je n'irai pas piller vos demeures, ni enlever vos enfants ; je n'irai pas réveiller les domestiques... N'ayez pas peur, je n'ai pour vous que des mots, une parole, un chant... Je n'ai pas d'armes ni de haine pour vos matins blêmes, pour vos nuits vides...

Moha continuait de hurler sur la grande place. Une ambulance vint l'arrêter. Deux hommes en blanc lui attachèrent les mains et l'enveloppèrent dans un drap. Il ne présenta aucune résistance mais poursuivit sa parole qui devint lointaine avant de s'éteindre.

Cellule nue. Une petite fenêtre au plafond. La pierre était humide. Moha avait froid. Il s'était ramassé sur lui-même et se tenait serré contre le mur. Les yeux ouverts. Ses lèvres bougeaient à peine.

Mère! O ma mère! Tu me l'avais bien dit. On ne sort pas du bain tel qu'on y est entré... Tu me disais : aussi haut que les yeux pourront s'élever, le ciel reste au-dessus... Le ciel est au-dessus de la parole, la mienne; l'œil est au-dessus de la main et la main du ciel est au-dessus de la terre... Je ne suis pas, mère, l'impureté qui s'insinue entre la chair et l'ongle... Je ne suis qu'un orphelin dont la parole a apporté la pluie en plein été... Que m'advient-il donc ? J'ai vécu solitaire et longtemps dans des vallées et des plaines; ma parole me revenait, changée, embellie par le chant des voyageurs... Je sais, mère, que les draps du ciel seront déchirés, je sais aussi qu'ils se lamenteront... dans leurs tombes. T'en souvient-il ? Une prairie suspendue à notre regard et un homme dévorant ses enfants... Le printemps avait tardé; je l'attendais, dans les champs, sur ton dos. O mère! Tu m'as porté dans ton ventre; tu m'as porté sur ton dos; tu m'as donné le lait et les perles; tu m'as donné la parole et l'eau; ô mère, tant que je n'ai pas quitté ton corps, je n'ai pas connu de chagrin. Je suis parti avec l'Indien et l'arbre. Tu m'as indiqué le chemin et tu t'es endormie dans une éternité qui jaillit de la terre, source d'eau. Contre le mur, à présent, je me pousse dans la pierre. J'ai froid. Une seule main ne peut applaudir; une seule étoile ne suffit pas pour l'été; un seul arbre arraché, c'est la terre blessée, l'eau détournée au profit de l'homme puissant, gras, veule et corrompu... Cet enfant est minuscule : le lion n'en a fait qu'une bouchée; non, pas trop petit pour la gueule de la bête. J'ai désappris la pitié et je vous ai laissé la compassion. J'ai couru dans les champs et j'ai rencontré des miroirs. Tu me disais, ce qu'on a gagné dans les figues, on l'a perdu dans le potage... et le jour enveloppé de cendre... la nuit roulée dans la farine de la mort... Mère, ô ma mère! Pourquoi ce corps tourné vers la muraille humide? Pourquoi ce fleuve qui perd ses ruisseaux et cette terre qui manque d'amour? J'ai erré de terrasse en terrasse comme la rumeur. J'ai perdu mes pieds de danseur. Il s'agit de tout repeindre, les ténèbres et l'éclair. Tout reprendre dans une nouvelle vie, un champ vierge, une enfance heureuse. J'ai peur qu'une larme ne descende... Une larme de trop, car je n'ai que toi pour la verser et tu n'aimes pas les larmes... Ce sera une perle, un diamant pour la fiancée du crépuscule, pour les mains douces du solitaire musicien... Je ris de moi-même. Je ris avec moi-même. J'éclate comme une bourrasque dans cette cellule qui ne résistera pas à la chèvre... J'entends les sonnailles de mes bêtes... J'entends le rire des gamins... J'entends la voix grotesque de Harrouda... Une larme. Non, une perle pour le lever du jour. Pour la muraille qui s'ouvre... Pour tes yeux, ô mère! Et toi père! Où es-tu à présent ? Toi qui as aimé l'ordre et la grandeur, où es-tu ? Tu ne m'as jamais manqué. Si aujourd'hui je parle de toi, c'est parce que la pierre m'a interrogé, c'est parce que le ciel est si bas que je veux m'égarer dans ton souvenir. Dans ton esprit, il y avait une fente : c'est ainsi que tu as perdu petit à petit la raison. Tu n'as jamais rien aimé, ni tes femmes ni tes enfants. Tu étais le maître, le patriarche qui montait la jument et regardait ailleurs. Tu n'as jamais nommé ma mère. Pour toi, elle n'avait pas de nom. C'était la femme, la servante, la négresse. Tu m'avais caché dans un sac de pains de sucre. Déposé dans une caisse en carton. Oublié près de la source, bercé par le murmure de l'eau. C'est la seule idée, la seule erreur : l'eau. La source m'a nourri. La source m'a élevé. La source m'a aimé. Le temps, quelle importance! O père! Tes enfants, tu les as trop aimés, mal aimés. Étranglés d'amour imbécile. Et mère n'existait pas. Mère, épouse secondaire, servante et enfant dans ton lit. Oh! J'ai mal. Ma peau s'étend pour l'oubli. Mais pourquoi donc le souvenir de cette blessure ? Je l'avais pourtant enterrée, je l'avais effacée, j'en avais ri. Je manque soudain de rire. O Moha, tu ne vas pas t'attendrir ? Tu ne vas pas succomber aux limbes d'un souvenir ?

Tu es fort et subtil, alors ris, éclate de rire, là, dans une phrase, dans cette cellule, où chaque pierre est un amas de mots et d'images. Va. Va, Moha, vers ton destin, ne t'arrête pas au seuil de cette porte. Et pourtant, jamais tu ne l'as évoqué! Écoute ce que te dit ton frère le philosophe :

« Il te faut retourner dans la cohue :
dans la cohue, on devient lisse et dur.
La solitude use et pourrit
la solitude pervertit. »

Je suis las de moi-même. Je reviens à ma parole et j'oublie que j'ai froid.

Tout le long de mon voyage, je n'ai pas parlé de toi, père. Tu étais absent. Tu étais ailleurs, isolé dans mon labyrinthe. Et aujourd'hui, réduit à mon petit corps frêle, tu reviens... Et mère est seule.

Non. La porte va s'ouvrir sur un autre hiver.

Sur les syllabes de la lumière
j'ai posé mes mains
c'était une cage destinée à un oiseau écartelé
par le temps
c'était une parole insatiable
je compte les jours
moi qui ne comptais que les siècles et les arbres dans
la forêt des navires pour la nostalgie
en quête d'amour pour ce peuple enivré d'absence où
la rosée descend avec lenteur sur une terre muette
sur une herbe rare
j'ai dit peuple
j'aurais dû ajouter fier et digne
la caverne c'était une légende
l'arbre où j'habite un refuge
une vieille histoire que j'ai fabriquée de toutes pièces
mais
je n'ai pas menti
le miroir s'est déplacé fermé sur tant d'images
troublé par tant d'événements et de bruits
traverser le pays

comme l'étranger voilé
comme le caravanier abandonné de ses chameaux
répudié par ses femmes renié par ses enfants
non
j'allais de plaine en vallée
de ville en village
j'ai traversé des maisons de maîtres et de patriarches
comme la flèche que m'avait offerte l'Indien mon frère
mais le rêve tombe
dans un ruisseau
alors j'ai des frissons dans la tête dans le cœur
je suis le ruisseau qui ne sait plus où est sa source
je suis la parole qui ne sait plus d'où elle vient
je suis le rêve qui s'éteint avec la nuit
et je continue d'aimer l'aube
avec ses mots à peine éclairés par le songe tardif
et les palmiers se penchent sur mon passage
alors que je suis nu
dépouillé de mes phrases
arraché à mon rire
je déterre les dents jaunies
et je parle à un crâne qui me nargue
je monte sur la stèle et rejoins les nuages
j'espère donner la main à mon enfant jeté dans une cave

la traversée du territoire est suspendue
car les poètes ne savent pas mentir
sans haine j'irai vers les cadavres ensevelis avec ces

mains brûlantes obstinées dans la lueur du matin
car je ne verrai plus l'azur
contre la pierre humide ma tête fume
rêveur je saute à pieds joints dans la nuit versée sur le grain de ce mur avec une fente qui donne sur la mer

Du fond de l'oubli, le père de Moha envoya ce message :

« A présent tu es dans une cellule. Fou parmi les pierres. Tu as oublié qu'il est dit dans le Livre qu'à ton père tu dois respect et soumission : tu n'élèveras pas la voix et tu baisseras les yeux quand tu lui parles. C'est parce que tôt je t'ai retiré ma bénédiction qu'aujourd'hui tu te trouves entre ces murs, dans les ténèbres de la démence. O Moha ! Du fond de ma nuit, du bout de ma vie, des lointains rochers où le destin m'a abandonné, reviens à toi, reviens à l'ordre, reviens à la vie et au jour ! Dieu t'aidera si tu reviens prier dans toutes les mosquées de la ville. Le Prophète entendra ton appel et te donnera sa main, son pardon. O Moha ! Tu te veux justicier au nom de tout un peuple. Mais personne ne t'a élu, personne ne t'a mis sur cette voie de haine et de désolation. Sois un citoyen simple, vis ta vie et ne soulève plus les vieilles pierres. Elles sont posées sur une terre enceinte de tant de malheur ; elles couvrent un amas de crânes. Elles cachent des mines de vipères et de scorpions. Que ne te tournes-tu vers le bonheur tranquille des hommes qui ont déposé leur vie entre les mains du ciel ? Tu te veux au-dessus de tous. Différent par ta folie. Et ta folie te perdra. Tu es déjà perdu. Je ne serai pas à tes côtés en enfer. Mais pour toi, l'enfer, c'est déjà commencé. Je te vois dans un brasier et tu ris. Fils indigne! Je t'abandonne aux flammes et à ton rire... »

Abandonné ? Non. Des mains vinrent l'arracher à l'humidité (responsable de l'intervention tardive et peu réconfortante du père) et l'installèrent dans le bureau du jeune médecin psychiatre.

— On t'a mis à l'écart pendant quinze jours pour te calmer. Tu es un tempérament fort. Je vois que plus on veut ton bien, plus tu te soulèves contre nous. Enfin, de quoi tu souffres ? Dis-moi ce qui ne va pas...

— Mais je ne souffre pas. Tout va bien. Très bien même. S'il n'y avait cette muraille entre toi et moi... Non, ce n'est pas une muraille, mais une fine lame d'acier infranchissable. Je te vois flou. D'ailleurs comment voir autrement dans ce pays ? Ou bien on opte pour le flou ou bien on décide de vraiment voir, voir tout, dans le détail, et là... on ne va pas bien effectivement... J'ai longtemps fixé le soleil. J'y ai vu un monde propre, haut dans la beauté des signes et des couleurs, un monde pur...

— Dis-moi : comment t'appelles-tu, quand et où es-tu né ?

— Trois siècles... Alors cela dépend... A chaque lune un nom, à chaque tempête un souvenir; à chaque question un seau d'eau sale sur le visage du destin borgne... Oh je n'ai pas peur... je peux te dire que je suis né sur un terrain vague, planté aujourd'hui de baraques en zinc, de tentes noires et de nuages de poussière, de ruisseaux de boue et d'argile. Je suis né plusieurs fois dans cette terre stérile. Je ne suis pas seul. Je suis tous les gamins qui jouent avec les pierres et les chiens malades. Je suis de tous les terrains vagues. Je suis de toutes les tentes déchirées par le vent... Je suis le bidonville qui avance, qui marche sur la ville propre... Même quand on m'enferme, je continue ma marche... J'avance mais on ne me voit pas. Ils ont tort de ne pas me voir...

— Mais si, on t'a vu; la preuve, tu es là...

— Es-tu sûr de ce que tu dis ? Je suis en retard, alors. Il faut que je parte. Le terrain vague semé de tessons de bouteilles m'attend, il ne peut avancer sans moi... je te salue... je m'en vais...

— Calme-toi. Tu es là à présent, et on va te soigner...

— Mais je ne suis pas malade...

— Mais si, mais si... As-tu pris tes médicaments ?

— Non.

— Je regarde ton dossier : tout a été fait; électrochocs et le reste...

— Ah, tu veux parler de l'électricité dans la tête ? Tu perds ton temps. Ça ne sert à rien! Je suis immunisé contre l'électricité et tes poisons... Par contre j'ai une allergie profonde à la médiocrité... là, vous ne pouvez rien... vous pouvez faire toutes les études du monde en Europe et en Amérique... vous ne comprendrez rien à ce que je dis...

Le psychiatre écrit, en bas du dossier, le diagnostic suivant : « Poursuit sa bouffée délirante; agressif; trouble évident de la personnalité; perte d'identité; continuer l'électrochoc et le Droleptan-Largactil-Haldol; injection matin et soir; à surveiller de près... »

— Mais si, je te comprends...

— Écoute, monsieur le docteur; il ne reste pas autant que le passé et ne me dis pas que c'est ça la science. Tu sais, la folie, c'est comme un raisin qui saoule. Tu connais le dicton : « Il a suffi d'un grain de raisin dans sa bouche pour qu'il se saoule » ? C'est ça. Votre électricité n'y pourra rien. Vos gros bouquins non plus. Tu crois que tu vas m'endormir pour me faire taire! Quelle erreur! Grandiose erreur! Tu crois, toi, que le surplus ne peut venir que de la tête du fou ? Et si le fou n'avait pas de tête ? Tu es coincé là... Où as-tu appris tant de choses ? Tu es savant, n'est-ce pas ? As-tu un jour de ta vie regardé une forêt ? T'es-tu assis un matin au bord du fleuve? As-tu posé ta main sur les cheveux d'un gamin ?

— Non; mais moi je te répondrai par un autre proverbe : « Deviens fou, tu peux gagner. » Voilà, tu fais le fou et tu crois que nous ne nous rendons pas compte. Quelle erreur!

— Comprends-moi et ne me donne rien...

— Oui, je te comprends. Mais je veux t'aider. Tu confonds tout, l'histoire et les pays; les pays ont des frontières; toi, tu circules comme le vent; tu ignores les frontières. Je te pose une question simple : où sommes-nous ici ?

— Ici, nous sommes dans une prairie occupée par des chardons...

— Non. Quelle ville ?

— Nous sommes à Tlemcen. Oui, c'est ça, je reconnais, nous sommes à Salé. Tlemcen. Oui, c'est bien ce que je pensais. Sfax. Non, je me trompe. Nous sommes peut-être dans un cimetière sans nom, sans pays. Un terrain neutre où on fait mal aux gens avec de l'électricité dans la tête et où on leur dit que c'est pour leur bien.

— C'est pour leur bien qu'on met l'électricité dans leurs oreilles. Après, ils se retrouvent. Ils retrouvent un univers familier, un univers équilibré. Quand tu veux réveiller quelqu'un et que tu n'y arrives pas avec des caresses, tu es obligé d'utiliser d'autres moyens. Je reconnais que ce n'est pas très drôle, mais que faire d'autre ? Les gens ne sont pas simples. Ils sont même insupportables. Figure-toi qu'ici la moitié des malades sont de faux malades. Ce sont des gens sans travail, sans famille. Ici, ils sont logés, nourris, blanchis, maternés... entièrement pris en charge. C'est idéal ! Alors l'hôpital devient une écurie. Oui, parfaitement; une écurie où viennent délirer les déchets de notre société. Remarque, je sais tout ça et je ne dis rien. Je ferme les yeux; je laisse passer. Des fois je m'énerve, alors je double les doses. Je te dis la vérité, toi qui sais parler : l'asile n'est pas vivable. Ça manque d'hygiène. On finit par s'habituer. Quand je faisais mon internat en Europe, j'étais fatigué par leur manie de la propreté. C'était trop. Ici, je suis fatigué par le laisser-aller, la négligence... et puis si j'écoutais les malades, je ferais mieux de devenir assistante sociale! J'ai peur de perdre ce que j'ai durement acquis. J'agis en médecin. Je donne médicament sur médicament. L'ennui, c'est que l'État n'a pas assez d'argent pour acheter les calmants dont j'ai besoin. Je vais te faire une confidence, car toi, tu me plais, je vais te parler franchement : je rêve d'une pharmacie, une belle officine avec des centaines de variétés de médicaments, avec des camisoles musicales, avec des infirmières les seins nus... Ici je me sens un peu mutilé, un peu inutilisé... surtout depuis que l'État a rendu la médecine gratuite. Quel malheur! Tu crois que les frères ont compris le sens de cette loi ? Même ceux qui ne sont pas malades envahissent l'hôpital. Je ne sais pas pourquoi, mais ils viennent de plus en plus nombreux. Ils disent : « Examinez-moi, on ne sait jamais! » Quelle perte de temps! Le socialisme, c'est ça : accepter de bon cœur d'être envahi, être au service de l'État et du peuple et être mal payé. Le peuple! Ah, quelle calamité! C'est une belle invention, une abstraction! Dis-moi, toi qui débordes de lucidité et de sérénité, c'est quoi le peuple ?

— Si tu décides de le considérer comme une abstraction, alors c'en est une! Le peuple n'est pas la foule ni la horde...

— Oui, j'ai compris; c'est la masse unanime et silencieuse...

— Silencieuse ? Peut-être. En tout cas tu es sourd.

Vous êtes tous sourds, petits mécaniciens du savoir et des études européennes...

— O Moha! Tu ne m'as donné ni le fil ni l'aiguille; tu ne distingues pas l'étoile du sable...

— Si tu veux. Je suis une ambiguïté et une confusion étonnée. Voilà ce que je suis : étonné. Ma salive témoigne de tant d'étonnement. Quel pays...

— Oui, quel pays! C'est toi, toi et tes semblables qui l'avez voulu ainsi : pauvre, sous-développé et malade.

— C'est ça! le peuple est responsable parce qu'il a choisi de vivre dans la périphérie de la vie; c'est bien ça; nous avons fait vœu et choix de pauvreté! A vous la richesse, le confort et l'avenir... A nos enfants un peu d'école et beaucoup de hasard... Tu n'as pas honte ? Et puis toute cette mécanique nous est étrangère. Pourquoi l'asile ? Avant, avant les Français, il n'y avait pas d'asile.

— Mais il y a des fous dangereux; il faut protéger le citoyen.

— Il n'y a de fous dangereux que parce qu'il y a cette bâtisse, ancienne prison. Si on laissait les gens libres de parler au ciel, à l'herbe, au vent... Tu sais ce qui rend fou ? La faim. Oh, je simplifie. Les racines coupées. Prenons un arbre. Tu l'arraches. Tu le déplaces. Entre-temps tu lui coupes les racines. Tu veux le replanter ailleurs, ça ne marche pas. L'arbre meurt. Mais avant, il se dessèche, il perd sa sève. Il crève lentement. Eh bien, le paysan à qui on a pris sa terre, ou à qui on a volé sa part d'eau, le paysan à qui on a promis la prospérité et qui entend beaucoup de discours mais ne voit rien se réaliser concrètement, ce paysan prend un jour le chemin de la grande ville. C'est comme l'arbre. Il crève. Mais avant, il y a l'agonie. Il lutte à sa manière. Jusqu'au jour où on l'enferme et se retrouve corps anonyme dans la morgue municipale. Quant aux enfants des paysans, quand ils ne mendient pas dans les grandes avenues, ils cirent les chaussures en attendant d'acheter un passeport pour les mines d'Europe.

— Mon rôle est de soigner. Je ne travaille pas au bureau de placement ni au ministère de la Révolution — révolution ou réforme, je ne sais plus — agraire. Moi aussi je suis sensible; écoute, ce pays, quand j'y pense sérieusement, me donne la migraine. J'ai décidé de ne plus y penser, de ne plus me poser toutes ces questions. Je vais faire comme mon cousin. Il est pharmacien. On est de la même génération. Pendant qu'il faisait ses études, son père — un riche commerçant — lui cherchait une officine dans le quartier le plus populeux de la ville. Tu sais pourquoi ? Ce n'est en tout cas pas pour les beaux yeux du peuple. Non, c'est dans ces quartiers misérables qu'il y a le plus de maladies et que le pharmacien se fait le plus d'argent. Depuis qu'il s'est installé dans sa pharmacie — elle s'appelle en plus « Pharmacie populaire » — il a amassé beaucoup d'argent. Il a un ami médecin installé en face. Ils s'envoient les clients. Pas de pitié. Le pharmacien vient d'acheter une maison « technicolor ». Mais il n'est pas heureux. Je crois qu'il a un cancer...

— Hélas! Aucun chat ne quitte la maison où on fête un mariage...

— Je me suis laissé aller. Arrêtons cette discussion. Tu as un pouvoir maléfique. Une sorte d'hypnose. Avec les malades, je ne parle pas. Je soigne. Je donne des ordres. J'ai trop parlé. Si notre stagiaire gauchiste m'entendait... Lui, il ne parle que politique. Il est anti-tout. Anti-médecin, anti-psychiatre, anti-régime. C'est un anarchiste je crois. Il est bon pour démolir. Il ne construit rien. Il a fait l'autre jour un grand scandale parce qu'il a surpris un infirmier en train de voler des antibiotiques; il allait les revendre. Je sais, ça choque au début; après on s'habitue. Lui, refuse de s'habituer. Il ne veut pas donner des médicaments aux malades; alors ils sont furieux contre lui. Ici les gens adorent les médicaments. Plus tu leur donnes des médicaments, plus tu les possèdes... et puis toutes ces histoires importées de l'étranger...

Le bureau du psychiatre fut envahi par des individus en blouse blanche qui embarquèrent Moha. Il eut juste le temps de s'exclamer :

— Pourquoi tout ce monde ? Ce n'est pas la circoncision de l'âne, que je sache ? Laissez-moi, je ne fais que passer. Je discutais, c'est tout. Mais vous n'êtes pas de l'hôpital! Vous n'êtes pas des infirmiers! Mais où va-t-on ? Vous me tordez le poignet. Mais pourquoi cette brutalité ? Je vous suis. Je sais à présent où vous m'emmenez. Dans la cave. La cave clandestine. Ah! je m'y attendais. Une proie idéale. Vous avez tout enregistré. Pas la peine de me torturer pour que je parle. Je ne cache rien. Ce que j'ai dit, vous le savez bien...

Ah, quelle horde! Vous voyez, là-bas, sur la colline : un enfant s'est assis. Il m'attend. J'entends sa voix. Vous n'entendez rien. Vous ne voyez rien. La petite colline est sur le nuage. Elle approche ou s'éloigne. Je ne sais plus. Vous m'étouffez. Laissez-moi voir. Laissez-moi entendre. Il me parle. Il me dit un poème. O malheur! L'enfant vient d'être lâché par la colline. Il tombe. Il vole. Il s'accroche à un morceau de nuage. Il crie. Le cri ne sort pas de son corps. L'enfant est ballotté; il va de nuage en nuage. Un petit astre perdu. Une image égarée dans le ciel. Il flotte. Ses cheveux lisses et beaux dans le vent. Un oiseau passe. Une main s'agite La colline a disparu. Je ne la vois plus. Je ne vois plus rien. Pourquoi me mettez-vous ce bandeau noir sur les yeux ? Mais je sais où nous sommes et qui vous êtes. Je vous reconnais; je vous reconnaîtrai toujours. J'entends des bruits étranges. De l'eau qui coule et des coups de téléphone. Je sais, sous l'éternité épaisse il y a le ciel... Mais l'enfant tombe, tombe... Une chute dans les ténèbres, il hurle et moi je... je... Ah...

Corps encore chaud. Du sang sur le visage, dans la bouche. Moha était traversé du sourire de l'enfant. Un sourire fixé dans une éternité fragile et légère. Un corps vieux d'un siècle et plus. Sans aucune ride : le corps d'un enfant; la tendresse d'un regard qui s'en va; le silence d'un peuple.

Sous l'éternité épaisse, le ciel. Livré aux sables, il interroge la pierre, la muraille, l'enceinte. Un astre s'est éteint, sur la rosée, ce matin...

Moha fut enterré la nuit dans un trou du cimetière des pauvres.

« Tu me mènes droit vers la fin
l'agonie a commencé
je n'ai plus rien à dire
je parle de chez les morts
et les morts sont muets. »

Georges Bataille

Appelés de dessous la terre par Moha, le gamin et quelques autres compagnons se retrouvèrent la nuit dans le cimetière des pauvres. L'arbre aussi se déplaça. Il fallait de l'ombre pour cette tombe et ses visiteurs. Moha parlait calmement. Il disait des poèmes qu'il entrecoupait de pensées philosophiques. Il citait le prophète Mohammad qu'il admirait beaucoup et continuait de mettre en garde les hommes de ce pays contre les impostures, le mensonge, l'hypocrisie et la brutalité érigés en système ordinaire.

Le bruit courut dans la ville que Moha parlait dans sa tombe. Rumeurs ? Illusions ? Superstitions ? Qu'importe ! Le vendredi, le cimetière était envahi d'hommes, de femmes et d'enfants venus écouter la parole de Moha. Il y avait là beaucoup de curieux. Il y avait là aussi ceux et celles qui avaient connu Moha quand il traversait la vie et le pays. Fatem-Zohra et sa fille Dhaouya étaient là, au pied de la tombe; elles se recueillaient en silence. Aïcha n'était pas dans la foule. Elle l'avait rejoint dans sa tombe. Une hirondelle qui retenait le printemps dans son petit corps. Elle avait disparu dans le bois. Il y avait aussi Moché, le vieil ami de Moha. Un peu à l'écart. Il regardait cette foule silencieuse et tendait l'oreille pour entendre la parole profonde. Harrouda était enveloppée dans un drap blanc et parlait à l'arbre. Des femmes priaient. Des hommes pleuraient.

Moha n'était pas content.

> Je ne suis pas une pierre sacrée. Je ne suis pas un saint, un marabout. Je ne suis qu'un homme. Un homme pauvre. Un homme riche de sa folie, riche de sa parole. Je suis ici avec mon frère l'Indien et ma petite Aïcha. Je continue à parler et à rire. Riez avec moi. Dansez avec moi. Parlez! Ne retenez plus votre colère au fond de la gorge. Allez dans les rues, allez sur les grandes places, parlez, racontez, chantez, mais ne restez pas ensevelis dans le silence et la peur. Aujourd'hui, ils ont confisqué ma vie, mais pas ma folie. Ma folie déborde. Elle crève la terre et sort comme l'herbe sauvage partout, entre les pierres, dans le sable, sur l'asphalte. Ma folie me tient chaud dans ces ténèbres; oui, elle déborde et tourne en sagesse, spirale jusqu'au ciel. Elle traverse la terre, enivre les corps,

enroule les nuages, et enchante les oiseaux. Ma folie est plus libre. Ma parole plus folle. Mais je ne vous parlerai que de l'amour et la mort...

Les autorités décidèrent de fermer le cimetière pour une période indéterminée. Elles publièrent un communiqué dans la presse :

« *Au nom de Dieu Le Très Haut qui a dit dans son Livre sacré : " Parcourez la terre et voyez ce que fut la fin de ceux qui crièrent au mensonge! Si tu ambitionnes de diriger les Incrédules (c'est inutile), car celui qu'Allah égare ne saurait être dirigé et n'a aucun auxiliaire "* (*Sourate*, les Abeilles).

Peuple!

Notre religion est l'islam. Notre langue est l'arabe. Notre démocratie est le socialisme. Notre idéologie est dans nos traditions, dans notre patrimoine. Nous sommes décidés à barrer le chemin à toutes les formes d'obscurantisme : délire, folie, prétendue poésie nihiliste et dévastatrice. Nous sommes un État moderne. Les fous iront à l'asile. Les vagabonds en prison.

Cet homme qui parlerait dans sa tombe n'existe pas. L'enquête est formelle. Il n'y a pas plus de Moha que d'Indien dans le cimetière. Moha n'a jamais existé. Allez à vos occupations et oubliez ce cimetière! »

MOHA LE FOU MOHA LE SAGE

Moha poursuivait tranquillement sa parole, qui parvenait aux gens dans les places publiques, les rues et jusque dans les mosquées...

Le temps.

Je ne suis pas mort de vieillesse. L'âge! Le temps! Qu'importe! Il y a les fleurs; il y a la pluie pour la terre et puis il y a des moments pour le silence. Je ne savais pas compter. Disons que j'avais dépassé les trois cent mille lunes et une étoile. Mon corps n'a pas retenu les rides. Je dois avoir une peau d'Indien. Le temps passe dessus, sans qu'il s'arrête, sans qu'il creuse un sillon, une blessure. Tant de tendresse dans chaque ligne de mon corps. Je pense qu'un jour viendra, où, dans mon pays, on mettra les vieux dans une maison spécialisée, bleue et musicale; alors, là, on mourra de vieillesse; on mourra de lassitude et d'usure. L'âge sera un fardeau. Le temps un ennemi. J'ai porté pas mal de poids sur le dos; j'ai peiné; j'ai été triste; j'ai même perdu un moment le rire; mais je n'ai jamais perdu l'envie de crier... D'ailleurs je ne suis pas mort. Comment mourir quand on n'a jamais existé ? Je n'ai pas de nom. Je suis présumé. Je suis de nulle part. D'une colline. D'une plaine. De l'horizon flou et de la menthe du temps. Ainsi en ont-ils décidé! Moha n'a jamais été! Quel beau mirage pour leur désert pâle!... C'est vrai, je n'ai pas de papiers d'identité... et comment en avoir ? Non, je ne parle pas de la corruption, mais je ne pense remplir aucune case; je ne peux rien inscrire sur les lignes en pointillés... Ni date, ni lieu de naissance... J'ai trois cent cinquante-deux noms; un nom par lune. Ma date est inscrite dans le ciel. Allez lire dans le labyrinthe... Si vous vous retrouvez, vous m'en parlerez, j'espère... Le lieu, c'était la cime de la plus haute vague... c'était le ventre de l'arbre... c'était un puits... je suis né de la terre quand elle a tremblé au début du siècle... je devrais dire, je suis le seul être à avoir été vomi de la terre... Qui parle de naissance ? C'est pour cela que tôt j'avais décidé de ne jamais me résigner à aller au chagrin ni à naître et à courir derrière je ne sais quoi. « Ne pas naître, dit un autre chameau, un ami philosophe, est sans contredit la meilleure formule qui soit. Elle n'est malheureusement à la portée de personne. » Pas pour moi. Car je défie toutes les forces d'arriver à me localiser dans un temps ou un lieu et à m'enfermer dans une cage vitrée avec autour des feuillages dans un musée de marbre, derrière la cathédrale transformée en synagogue, au bout du chemin de la solitude. Ah! que de défis! Je ne veux pas de leur bonheur qu'une lame d'agonie balaye entre le lever et le coucher du soleil. Je savais parfaitement ce que j'entreprenais. Être une transparence qui dérange... Je n'étais pas né et tout me pesait. Je voyais de loin des ombres s'agiter et des corps gras vociférer à la recherche de souvenirs moins accablants et d'écharpes mauves pour des suicides esthétiques. J'entendais des discours officiels tissés de mensonges, enduits de brillantine et d'huile d'arachide. Ça dégoulinait de partout et j'avais la nausée. Je pensais déjà au patriarche et à ses demeures. Je pensais à ses domestiques, la femme noire et les autres. Je passais. Je traversais le pays et les apparences. Derrière j'ai trouvé une échelle, une terrasse, une grande place, un four pour le pain, un bain pour les masques posés derrière la vitre dans le salon d'honneur et de rire à travers le voile de la grande tristesse... Je voulais juste faire une incursion, un petit séjour dans l'ordre, palper un peu cette réalité et mettre une bombe dans la maison le jour du grand mariage... une bombe ou une fusée... un sac d'excréments et une charogne sur la table à manger... Je voulais connaître les autres dans leurs événements grotesques, quand ils bavent, quand ils salivent et pleurent de bêtise.

Si par la suite j'ai accepté d'émerger, de venir sur la surface des choses et du temps, c'est pour aller au bois voir la petite Aïcha et jouer avec ses images. Je l'ai vue mourir entre les doigts de la nuit, comme une petite fleur qui tombe de fatigue, comme un oiseau qui étend ses ailes et donne sa tête au vent. Elle est morte de fatigue et de peur. Le patriarche lui faisait peur. L'épouse blanche l'envoyait dans les étages et oubliait de la nourrir. A présent, Aïcha est là, avec

moi, elle court dans le verger et chante doucement. Il y a aussi les gamins. Ils sont fous. Je reconnais m'être attardé chez certains individus; leur médiocrité satisfaite me paralysait. Je n'arrivais plus à m'en aller. J'étais fasciné. Fasciné par tant de laideur, par tant d'impudeur. Le dégoût, c'est facile. Je résistais. Ce qui leur survivra ? Le dégoût.
Tout se décompose. Rêveries du matin enlacées à quelque parfum. Ils n'entendent rien. Ils ont perdu la faculté d'entendre...

La mort.

Comme un ciel d'automne, mon regard s'est penché sur la mort. De tout temps, il l'a frôlée. Je le sais aujourd'hui. Mon corps se détache avec lenteur. Ma peau jaunit. Elle s'élargit. Car pourrir est un long travail, un long chemin où on se laisse aller, où ils vous diminuent avec minutie, avec méthode. Depuis que j'ai perdu mes couleurs, je sais qu'un jour l'horizon sera clément avec mon souvenir et je reviendrai paré de toutes les lumières.

Pour moi, rien ne s'achève. Je continue de demander de vos nouvelles. Parlez-moi des enfants. Racontez-moi le pays. Prenez le temps de vous arrêter au seuil de ma caverne. Tendez l'oreille. Faites du thé à l'ombre de cette nostalgie et contez-moi des légendes. Je me sens triste. Je ne me suis pas encore habitué au crépuscule éternel. J'ai mes faiblesses. J'ai des failles et des silences qui durent. Dites-moi le pays et ses abîmes. Dites-moi la ville et la nuit qui recommence tel un sarcasme entre l'écorce et la sève. Parlez-moi du large et des vagues. Je sais que le soleil est toujours là. Je sais que la mer ne dément pas mes paroles : elle les répète et les envoie danser sur les blocs en béton. Mais que sont devenus les hommes nus qui se lèvent avant l'aube pour aller vendre la force de leurs bras sur le marché de la grande place? Que sont devenues les petites filles venues de la campagne et qui proposent leur petit corps aux patriarches de la ville? Que sont devenus les gamins qui brûlent de vivre?

J'entends une foule dense réclamer du pain. J'entends des mères réclamer leurs enfants disparus. Avalés par la terre. Mais pourquoi restez-vous sur les tombes, dans les mosquées, dans les maisons, dans les cafés, dans les bars? Dites-moi le pays et ses fêlures. Je veux savoir. Laissons la rumeur au marché des figues. Je pense aux choses graves et je ne vois que des choses futiles. Les objets resteront longtemps où ils sont posés. Les pierres. Le bois. Le métal. Et nous, blêmes, sous les ténèbres.

Depuis que j'ai quitté mon corps, je ne sais plus où aller, où me poser. Je ne peux choisir qu'entre la terre humide et la pierre dure. Sous cette terre, que de corps entassés! Des lamelles les unes sur les autres. Des feuilles fines, jaunies par l'eau et le temps. Mais ici, le temps n'a pas de limite. J'ai interrogé une de ces lamelles. Chose inerte. Dépourvue de tout. Trace effacée. Quel souvenir ce corps a-t-il laissé chez les siens? J'ai remonté le temps et je me suis arrêté quand je suis devenu aveugle. Quand on m'a coupé la vue.

La vie, toute la vie. Ce n'est qu'un rire ? Plus ou moins heureux. Une plaisanterie où l'on devient grave ou mesquin. On passe ce moment à chercher l'amour, à vouloir le garder jusqu'à l'emporter avec soi, loin du tumulte, dans un jardin, dans une forêt, dans un livre, au fond des larmes, au bout du chemin, sur une feuille de papier, dans un linceul de jade avec des petits miroirs en cristal et des petits flacons de parfum, sur une terrasse dans la chaleur de l'été, enfermé dans la fragilité des choses, entouré de regards déclinés et d'éclairs, sur un cheval dans le silence et la solitude. J'ai cherché l'amour comme un chevalier qui erre à cause de l'énigme.

Consolez-vous, ô êtres impatients ! La vie, toute la vie, c'est comme le ciel. Il faut y aller sur la pointe des mains. Ou y renoncer. Nus. On s'habille d'un ventre à un autre, d'une mère à une autre, d'une terre à une autre terre. Là j'ai bâti ma demeure. On s'approche de la vie avec douceur, sans rien en savoir. On la quitte avec la certitude d'une terrible violence. Comme dit le chameau : on arrive nu, on se masque et on repart nu.

Alors l'amour.

L'Indien.

Il interrompt de temps en temps les silences de la nuit posée comme une couverture sur la prairie :

« *Je me demande si la terre a quelque chose à dire. Je me demande si le sol écoute ce qui se dit. Je me demande si la terre est venue à la vie et ce qu'il y a dessous. J'entends pourtant ce que dit la terre...* »

Frère! Que dit la terre aux hommes quand elle est mise à prix ? La terre se vend et s'achète; ils l'arpentent, la mesurent et déchirent ses étendues. Ils sèment les morts et plantent des blocs en béton, du béton et du fer. La terre est muette. Elle ne dit rien. Mais quand elle parlera, ce sera terrible... je l'ai déjà dit et prévu, enfin, la terre me l'a dit, la terre me l'a confié...

Moha! depuis que cette terre m'a accueilli dans son ventre, depuis qu'elle me nourrit de son argile, depuis que les miens m'ont enterré à tes côtés, assis les jambes croisées regardant l'ouest, entouré de mes objets essentiels — le fusil; la couverture; la bouilloire; les mocassins —, mon âme t'attend pour que nous prenions ensemble le sentier qui conduit vers la baie du cœur.

Je viendrai avec toi pour la danse du soleil sur les chemins du paradis. Attends-moi! je ne peux m'absenter longtemps; j'ai quelques paroles à émettre encore; j'ai reçu des messages de la terre et des océans. Il faut que je les transmette. J'apprends qu'on piétine les cendres du mort...

Regarde, mon frère! L'aube se lève sur un champ fou de lumière. C'est le printemps qui arrive! « *La terre a reçu les baisers du soleil et nous verrons bientôt les fruits de cet amour!* » Entends-tu le cœur de la Sainte Terre battre ?

C'est ma forêt natale qui vit; ce sont mes arbres qui vivent; c'est le vent de mes paroles qui passe... Tu me dis que tu as perdu l'enfant que tu étais en devenant civilisé, mais depuis que tu es revenu à la terre, tu es redevenu le gamin que j'ai connu...

« *Enfant, je savais donner; j'ai perdu cette grâce en devenant civilisé... chaque arbre était un objet de respect.* » Écoute ce que le chef Red Jacket disait de l'arbre :

« *Nous t'avons d'abord connu tel un faible arbuste qui voulait un peu de terre pour pousser. Nous te l'avons donnée; après quoi, alors que nous aurions pu te fouler aux pieds, nous t'avons désaltéré et protégé; et maintenant tu as grandi, tu es devenu un arbre fort, dont le sommet touche les nuages et dont les branches couvrent tout le pays. Tandis que nous qui étions le grand pin de la forêt, nous sommes devenus une plante faible et avons besoin de ta protection.*
Les premiers temps après ton arrivée, tu t'accrochais à nos genoux et nous appelais père; nous t'avons pris par la main en t'appelant frère. Tu as maintenant grandi plus haut que nous, si haut que nous ne pouvons atteindre ta main; mais nous souhaitons nous accrocher à tes genoux et être appelés tes enfants. »

D’un autre amour...

Elle s'appelait Nuage changeant dans la prairie d'amour. C'était son nom arabe. Je l'ai aimée. Je me suis perdu entre la beauté et la tendresse. Je l'ai aimée d'amour et d'amitié. Il y avait du rire et de la lumière dans ses yeux et elle dansait entre mes doigts. Elle chantait un verger de cristaux et de pluie fine. Je ne pleure pas. Vous connaissez ma haine des larmes. J'ai des pierres blanches au fond de la gorge et je sens qu'une main lourde, une main étrangère se pose sur ma poitrine. Elle pèse un ciel et m'empêche de respirer. Je sens les mots retenus dans mon corps s'amasser en mottes. Que dire d'un amour infini fait de petits morceaux et de temps inachevés ? Oh! ma peine a froid au fond de l'océan. Je vais sur l'eau et je suis la mouette indifférente. Je quitte le port et me laisse emporter par le vent du matin.

Cette main lourde sur ma poitrine me ferme les paupières. C'est une mort douce sous la terre fiévreuse. Alors me reste le rire. Un éclat d'étoile sur mon front comme le songe malmené. Je l'aimais d'amour et d'amitié dans la beauté du jour qui commence, dans la solitude de la mer qui se retire pour nous donner un lit de sable et un linceul d'écume. Sur la dune nous avons semé un rire fou. Sur la vague nous avons déposé la tristesse. Débarrassés de tant de mots, nous étions nus. Abandonnés de l'arbre. Je n'osais nommer cet amour. Je n'osais toucher des doigts la chevelure de la mer. Je voulais un enfant, une histoire, un ciel d'enfant. Je voulais le ciel, tout le ciel. Je le voyais rouge. Je le désignais du cœur. Je le donnais à la folie.

Je la déposais dans les limbes et la retrouvais le matin penchée sur une nuit brève. Je la surprenais dans les draps en train de ramasser les petits bouts de souvenirs. Je l'ai confondue avec un ciel de soie, une lettre arabe tracée par une main frêle. Un chant au lointain de ma vie, avant le Moyen Age, avant le parfum. Un chant d'euphorie. Fragile. Une main tremblante et une larme retenue par le rire.

J'ai vieilli pour t'avoir égarée entre la pluie et le soir. Je perds la tête et le sourire du matin. Il va falloir refaire le jour avec une autre lumière. Ma nudité me suffit. Tout ce que j'ai vécu m'oublie. Je tombe en morceaux dans ma mémoire qui se laisse déchoir. Je me jette dans les sables des mots. Je suis une phrase amère, mal dite. mal pensée, mal vécue. Et l'illusion me tourne encore autour.

Où irai-je avec tant de morceaux de moi-même ? La ville ne m'aime plus. L'océan est en colère contre les marins. L'arbre se penche sur les inquiétudes du siècle. Le marabout s'est réveillé d'un long sommeil. Et moi, abandonné des mots et de la folie.

Depuis que je n'entends plus mon enfant, je ne sais plus vers qui tendre les bras. Je les tends à une passante. Personne ne me voit. Et toi, où es-tu ? Je t'entends. Je te vois comme dans un naufrage. Tu te souviens de cette grande maison qui donnait en même temps sur une grande avenue de San Francisco et sur la Seine ? Tu te souviens de la mer derrière les maisons ? Et la vague haute qui nous a couverts... C'était le plus beau raz de marée de France et d'Amérique. Tu riais. Tu évoquais le suicide des vagues et la monotonie de notre ambiguïté. Ton corps soudain se soulève et renverse la douleur. C'était ton pied qui envoyait du sable sur mon visage. C'était ton pied qui m'enterrait et j'entrais lentement dans une mort sans issue. C'était cela la bourrasque de cet amour perdu dans le néant. Une fièvre en retour. Un orage tardif qui éclate dans ma bouche que des vers avaient déjà entamée. Je descends dans la terre avec douceur comme pour narguer la mort. La mort avait parcouru mon corps de bas en haut. Des orteils aux cheveux. J'ai pris le couloir où la foudre ne saurait frapper. Là, j'avais droit à quelques sanglots. C'étaient tes mains qui entassaient la terre mouillée sur mon ventre. J'étais déjà au-delà du jour, au-delà de moi-même. Et je t'écoutais; le dernier sens à s'éteindre est l'ouïe. Tu ne voulais pas prier. Mais j'aurais aimé entendre le chant des gamins. Ils ont du cœur. La terre a retiré sa robe. C'était la nuit. Tu sais, on ne sent qu'une chose : la rosée.

Mais j'ai le souvenir de tes seins chauds entre mes mains, et de ton visage sur mon ventre. Tes lèvres se posaient au-delà du regard et tes cuisses s'ouvraient comme une longue nuit folle. Comme une larme, ta joie. Comme une larme tu me disais les limites. Peu d'espoir. Et ce cimetière n'est qu'une grimace de la mélancolie.

La terre que tu m'as mise sur le visage est chaude. Elle est de ta fièvre et de tes impatiences. Elle est de tes regrets. Point de haine, mais une tête encombrée de nues et d'encre pour écrire. Tu me disais : notre histoire n'est pas à écrire. Alors n'écris rien. Conte. Parle. Va vers le cheval et parle-lui d'un rêve lourd à porter. Dis-lui l'absence et le vent suspendu. Ne parle pas d'agonie. S'il a la nausée, tu sauras que notre amour ne fut qu'une longue et douloureuse attente.

Alors je suis sorti dans les rues. J'ai parlé. J'ai dansé. J'ai ri. Dans la folie de l'oubli, j'ai grandi, j'ai traversé le pays et ses hommes. Je me suis arrêté au seuil de la vie. J'ai oublié cet amour. J'ai perdu les traces de ton visage. J'ai aimé l'arbre et j'ai dit à mon pays ce que la terre m'a dit. Je ne suis pas un prophète du sarcasme et du malheur Mais ce que j'ai appris, ce que j'ai vu me fait mal.

Es-tu encore là ? On oublie vite quand on vient dans l'arrière-pays de la terre. Je ne suis pas fatigué. Je pourrai parler des siècles encore et embellir les trappes sordides. Car j'ai des réserves de vide et de lumière

Aimer. T'aimer et s'enfoncer dans cette terre humide. Tu sais, c'est cela l'angoisse. Elle vient de la terre grise. Elle pousse à côté des mauvaises herbes. Elle vient des tréfonds de l'oubli. La mort s'étire dans mes labyrinthes. Mon estomac est encore chaud. Ma tête m'abandonne. Je sens que c'est trop d'audace. Mais je sais qu'il y a une tempête qui se prépare.

Tu es partie sans me fermer les paupières, sans me fermer la bouche. Il y a trop de terre et peu de racines. Il y a même un moineau enterré là, par hasard. Je voudrais un peu plus de rosée, car le cri n'est plus un cri et la chute est sans fin. Je ne cesse de tomber et pourtant j'aperçois la terre, mais dès que je la foule des pieds, elle s'éloigne, elle s'effondre. Mes yeux sont nus. Mon corps se vide. Tout me quitte. Et toi, tu t'éloignes. J'ai le corps aussi vide qu'un désert sans mirages.

Depuis que j'habite ce livre, je ne sais plus à quelle mort me donner. Qu'elle vienne de ton regard ou de tes désirs; qu'elle vienne de l'amour que nous faisions entre deux silences. Je m'égare dans la brisure voulue par toi, je me donne à la folie dernière, celle qui me surpasse, pour rire de moi-même, pour me faire mal les siècles à venir. Ma main sur tes cuisses qui disent la mer. Ma tête sur ton ventre.

Qu'importe ceux qui me poursuivent de leur hargne. Ma folie a fait des trous dans leurs certitudes et j'ai parcouru le pays avec férocité. Mais ils sont faibles. Ils sont indignes de ma haine. Je ne pense plus à eux. J'ai là tous les siècles à regarder venir, avec leur part de ciel, avec des nuits glaciales, des nuits chargées de solitude, avec des temps défigurés, avec des rêves de déchirure.

Dans tes yeux, il y a le temps qui s'arrête pour prendre le soleil et boire dans tes mains. Dans tes yeux le fleuve et une immense douleur. Pas pour moi. Pour toi-même. Pour tes matins de lassitude. Dans tes yeux la mer se retire. Mon cri n'est pas un chant. C'est une touffe d'herbe crachée par ma bouche qu'on dévore. Mon cri répudie la mort et grandit dans le linceul. Si la terre est secouée d'un léger tremblement, tu sauras que la folie est enfin arrivée.

Elle viendra dans une calèche, une de ces calèches qu'on loue derrière les remparts de la ville entre les palmiers et les oliviers. Si notre enfant pleure, emmène-le au petit cimetière de Sidi Ben Mansour. Il apprendra par les vents et les marabouts l'histoire de cet amour né de la mort.

Ma main levée sépare les nuages. Encore ton image sur voile bleu. Et ta voix qui me poursuit. Amants de la terre, amants séparés par le temps, amants de l'instant, n'étranglez pas votre enfant, sachez épargner l'oiseau de l'automne.

Me manque la lumière. Me manque la foudre. Mais j'ai du parfum. Gingembre et safran sur la peau du visage. Une moitié de datte retournée pour fermer les yeux. L'encens du paradis dans les plis de la toile blanche. Le texte n'a plus de robe. J'ai perdu mes mots. J'ai oublié ton nom. Je sais que c'est un nuage ou un petit jour, bref et fou. Mais ton visage manque à l'aube. Tes jambes fuient le gel. Ah, la mort empêche d'avoir froid et la neige vous protège. Oh souvenir mourant! Ne te retourne pas. Un cheval de bois cavale dans ma mémoire. Il gémit de solitude. Donne-lui des roses. Il aime les gestes d'amour.

Comment repousser cet excès d'ombre? Je voudrais rire et danser. Avec toi et le cheval de mon enfance. Je voudrais rire de la mort qui se prend trop au sérieux. Je vais roter. Mais je ne chie plus. Tout est arrêté dans ce corps rigide. Je voudrais amuser les masques et la nuit. Je vais éternuer. Un crapaud sortira peut-être de mon nez.

Pourquoi de la cendre au-dessus de la dalle ? Et toutes ces prières que j'entends... Est-ce pour m'empêcher de rire ? Mais qui vient uriner sur ma tombe ? Un gamin, un chien ou un vieillard ? Non, c'est une vieille putain échappée des prisons. Elle vient dormir à mes côtés. Une mort inachevée s'étale dans le champ de l'insomnie. Elle va, poussée par le vent, jaunie par l'attente. J'ai le sentiment que la démence va s'emparer du pays. Elle a déjà essayé de renverser les dômes et les minarets. J'étais là, gardien au seuil de la ville, dans le jardin qui est en fait un cimetière clandestin pour les saints et les fous, ceux qui cavalent dans le territoire des miroirs et des flammes, j'étais là quand la grande violence s'était emparée des uns et des autres; les uns, c'était mes hommes oubliés de la mer et du figuier; les autres, c'était les hommes qui se réunissaient dans les mosquées et marchaient derrière des engins qui les protégeaient de la rumeur tout en repoussant l'émeute.

Le pays.

Toi qui es restée là-bas, que ne me donnes-tu des nouvelles ? Pourquoi vas-tu hanter ce bois ? Pourquoi revenir sur les lieux de l'amour ? La nuit a le projet d'en finir avec mes mots. Je parle trop. Je dis trop de choses et je manque de pudeur. J'ai peur. Je ne veux pas que l'agonie recommence. La terre va peut-être me vomir de nouveau, lorsqu'elle éclatera de rire. Je ne serai plus cette absence qui hante les lieux de l'amour. Blanche et haute la main . un destin chancelant ? Pas sûr! Mes mains se ferment sur une poignée d'argile. Elles s'accrochent aux pierres. Car il pleut des moineaux blessés et quelques papillons perdus. Je sens l'eau monter. Est-ce une pie qui tente de me dévorer l'œil ou est-ce ta main baguée mise sur les plaies ?

J'ai une prairie mouvante et légère dans la tête. Une prairie vivante, un monde de petits poèmes renversés sur une nappe d'éclairs. Au loin une femme, un pays, un peuple. Sur tes cheveux, la rosée de la dernière lune. Les mots ruissellent sur ton corps, et tu vas de la nuit au désordre, du silence à l'ivresse pour ne pas maudire, pour éviter de prier, pour ne plus te souvenir, pour ne plus étouffer.

Détruire. Au lieu de ramasser la vie par petits bouts. Au lieu de farder l'indécence. Détruire. Pour l'incohérence. Pour le rire fort de l'arrière-terre. Pour trembler. D'émotion. Pour la fièvre et les paroles balbutiées quand l'amour te serre la gorge. La volupté. Un geste léger qui faisait que nos langues se mêlaient, dansaient, se séparaient et se perdaient dans le vertige du rêve dansant.

D'un autre amour à présent je t'aimerai.

Non. Je ne peux couvrir ce corps de mots, je ne peux remplir l'absence de syllabes folles et rares. Je redeviens nomade, vagabond à ton souvenir. Je vais déposer un chant dans les plis de la solitude : j'ai cette éternité à présent. Elle est là, à portée de regard, un regard derrière la nuit, là, dans le livre, dans un cahier. Tu vois mes mots : ils prennent le vol; légers, ils vont vers un autre ciel. L'absence est une ride du souvenir. C'est la douceur d'une caresse, un petit poème oublié sur la table. Et moi qui m'acharne à tourner en dérision tant de ténèbres.

Car mon corps déborde de mots depuis qu'il est privé du matin. Je recule dans mes méandres : est-ce moi qui invente cette mémoire, tous ces objets plantés dans la terre ? Est-ce moi qu'on désigne : tu seras démiurge! Quel malentendu! Dis-moi si c'est moi qui ris de moi-même ou si c'est l'âne de nuit qui me piétine? Pourquoi veulent-ils faire du poète un prophète qui hurle des paroles renvoyées ensuite au silence ? Ni la folie, ni les mots ne sont des masques qui nous sépareraient de la vérité. Ah! La vérité! Pourquoi en parler ? C'est trop tard! Elle tourne, elle tourne dans mon ventre, dans le ventre de la terre, elle est discontinue, elle s'absente et s'enroule autour de l'arbre fidèle à ma naissance. Seule la mort est de la plus belle des continuités. Une trace à l'infini. Et la vérité est de l'autre côté, tu vois la rivière, tu vois la source, l'eau qui jaillit pour laver nos questions...

Me reste la main. Ma seule certitude. Seule parole sublime dans la furie des vagues. Tu cours derrière l'océan orphelin. Le miel sur les lèvres. Sur tes pieds, du sable et du sel.

Et moi je vivais sans aimer sur une terre blessée, dans un miroir qui se souvient.

D'un autre amour à présent je t'aimerai.

Je ne suis qu'un faiseur de mots
quelle importance ont donc les mots ?
Et moi, quelle importance ai-je donc ?

Nietzsche.

Rabat, Salé, Paris,
septembre 1977-mai 1978.

Les textes que cite l'Indien sont extraits de :
Les Rites secrets des Indiens sioux
de Héhaka Sapa (Petite bibliothèque Payot)
et de
Pieds nus sur la terre sacrée
textes rassemblés par T. C. McLuhan (Denoël).

IMP. BUSSIÈRE A SAINT-AMAND (3-84)
D.L. 1er TRIM. 1980. No 5474-4 (604)

Collection Points

SÉRIE ROMAN

R1. Le Tambour, *par Günter Grass*
R2. Le Dernier des Justes, *par André Schwarz-Bart*
R3. Le Guépard, *par G. T. di Lampedusa*
R4. La Côte sauvage, *par Jean-René Huguenin*
R5. Acid Test, *par Tom Wolfe*
R6. Je vivrai l'amour des autres, *par Jean Cayrol*
R7. Les Cahiers de Malte Laurids Brigge
par Rainer Maria Rilke
R8. Moha le fou, Moha le sage, *par Tahar Ben Jelloun*
R9. L'Horloger du Cherche-Midi, *par Luc Estang*
R10. Le Baron perché, *par Italo Calvino*
R11. Les Bienheureux de La Désolation, *par Hervé Bazin*
R12. Salut Galarneau !, *par Jacques Godbout*
R13. Cela s'appelle l'aurore, *par Emmanuel Roblès*
R14. Les Désarrois de l'élève Törless, *par Robert Musil*
R15. Pluie et Vent sur Télumée Miracle
par Simone Schwarz-Bart
R16. La Traque, *par Herbert Lieberman*
R17. L'Imprécateur, *par René-Victor Pilhes*
R18. Cent Ans de solitude, *par Gabriel Garcia Marquez*
R19. Moi d'abord, *par Katherine Pancol*
R20. Un jour, *par Maurice Genevoix*
R21. Un pas d'homme, *par Marie Susini*
R22. La Grimace, *par Heinrich Böll*
R23. L'Age du tendre, *par Marie Chaix*
R24. Une tempête, *par Aimé Césaire*
R25. Moustiques, *par William Faulkner*
R26. La Fantaisie du voyageur, *par François-Régis Bastide*
R27. Le Turbot, *par Günter Grass*
R28. Le Parc, *par Philippe Sollers*
R29. Ti Jean L'horizon, *par Simone Schwarz-Bart*
R30. Affaires étrangères, *par Jean-Marc Roberts*
R31. Nedjma, *par Kateb Yacine*
R32. Le Vertige, *par Evguénia Guinzbourg*
R33. La Motte rouge, *par Maurice Genevoix*
R34. Les Buddenbrook, *par Thomas Mann*
R35. Grand Reportage, *par Michèle Manceaux*
R36. Isaac le mystérieux (Le ver et le solitaire)
par Jerome Charyn

R37. Le Passage, *par Jean Reverzy*
R38. Chesapeake, *par James A. Michener*
R39. Le Testament d'un poète juif assassiné *par Elie Wiesel*
R40. Candido, *par Leonardo Sciascia*
R41. Le Voyage à Paimpol, *par Dorothée Letessier*
R42. L'Honneur perdu de Katharina Blum *par Heinrich Böll*
R43. Le Pays sous l'écorce, *par Jacques Lacarrière*
R44. Le Monde selon Garp, *par John Irving*
R45. Les Trois Jours du cavalier, *par Nicole Ciravégna*
R46. Nécropolis, *par Herbert Lieberman*
R47. Fort Saganne, *par Louis Gardel*
R48. La Ligne 12, *par Raymond Jean*
R49. Les Années de chien, *par Günter Grass*
R50. La Réclusion solitaire, *par Tahar Ben Jelloun*
R51. Senilità, *par Italo Svevo*
R52. Trente mille jours, *par Maurice Genevoix*
R53. Cabinet portrait, *par Jean-Luc Benoziglio*
R54. Saison violente, *par Emmanuel Roblès*
R55. Une comédie française, *par Erik Orsenna*
R56. Le Pain nu, *par Mohamed Choukri*
R57. Sarah et le Lieutenant français, *par John Fowles*
R58. Le Dernier Viking, *par Patrick Grainville*
R59. La Mort de la phalène, *par Virginia Woolf*
R60. L'Homme sans qualités, tome 1, *par Robert Musil*
R61. L'Homme sans qualités, tome 2, *par Robert Musil*
R62. L'Enfant de la mer de Chine, *par Didier Decoin*
R63. Le Professeur et la Sirène *par Giuseppe Tomasi di Lampedusa*
R64. Le Grand Hiver, *par Ismaïl Kadaré*
R65. Le Cœur du voyage, *par Pierre Moustiers*
R66. Le Tunnel, *par Ernesto Sabato*
R67. Kamouraska, *par Anne Hébert*
R68. Machenka, *par Vladimir Nabokov*
R69. Le Fils du pauvre, *par Mouloud Feraoun*
R70. Cités à la dérive, *par Stratis Tsirkas*
R71. Place des Angoisses, *par Jean Reverzy*
R72. Le Dernier Chasseur, *par Charles Fox*
R73. Pourquoi pas Venise, *par Michèle Manceaux*
R74. Portrait de groupe avec dame, *par Heinrich Böll*
R75. Lunes de fiel, *par Pascal Bruckner*
R76. Le Canard de bois (Les Fils de la Liberté, I) *par Louis Caron*

R77. Jubilee, *par Margaret Walker*
R78. Le Médecin de Cordoue, *par Herbert Le Porrier*
R79. Givre et Sang, *par John Cowper Powys*
R80. La Barbare, *par Katherine Pancol*
R81. Si par une nuit d'hiver un voyageur, *par Italo Calvino*
R82. Gerardo Laïn, *par Michel del Castillo*
R83. Un amour infini, *par Scott Spencer*
R84. Une enquête au pays, *par Driss Chraïbi*
R85. Le Diable sans porte (*tome 1 :* Ah, mes aïeux !)
par Claude Duneton
R86. La Prière de l'absent, *par Tahar Ben Jelloun*
R87. Venise en hiver, *par Emmanuel Roblès*
R88. La Nuit du Décret, *par Michel del Castillo*
R89. Alejandra, *par Ernesto Sabato*
R90. Plein Soleil, *par Marie Susini*
R91. Les Enfants de fortune, *par Jean-Marc Roberts*
R92. Protection encombrante, *par Heinrich Böll*
R93. Lettre d'excuse, *par Raphaële Billetdoux*
R94. Le Voyage indiscret, *par Katherine Mansfield*
R95. La Noire, *par Jean Cayrol*
R96. L'Obsédé (L'Amateur), *par John Fowles*
R97. Siloé, *par Paul Gadenne*
R98. Portrait de l'artiste en jeune chien
par Dylan Thomas
R99. L'Autre, *par Julien Green*
R100. Histoires pragoises, *par Rainer Maria Rilke*
R101. Bélibaste, *par Henri Gougaud*
R102. Le Ciel de la Kolyma (Le Vertige, II)
par Evguénia Guinzbourg
R103. La Mulâtresse Solitude, *par André Schwarz-Bart*
R104. L'Homme du Nil, *par Stratis Tsirkas*
R105. La Rhubarbe, *par René-Victor Pilhes*
R106. Gibier de potence, *par Kurt Vonnegut*
R107. Memory Lane, *par Patrick Modiano*
dessins de Pierre Le Tan
R108. L'Affreux Pastis de la rue des Merles
par Carlo Emilio Gadda
R109. La Fontaine obscure, *par Raymond Jean*
R110. L'Hôtel New Hampshire, *par John Irving*
R112. Cœur de lièvre, *par John Updike*
R113. Le Temps d'un royaume, *par Rose Vincent*
R114. Poisson-chat, *par Jerome Charyn*
R115. Abraham de Brooklyn, *par Didier Decoin*
R116. Trois Femmes, *suivi de* Noces, *par Robert Musil*

R117. Les Enfants du sabbat, *par Anne Hébert*
R118. La Palmeraie, *par François-Régis Bastide*
R119. Maria Republica, *par Agustin Gomez-Arcos*
R120. La Joie, *par Georges Bernanos*
R121. Incognito, *par Petru Dumitriu*
R122. Les Forteresses noires, *par Patrick Grainville*
R123. L'Ange des ténèbres, *par Ernesto Sabato*
R124. La Fiera, *par Marie Susini*
R125. La Marche de Radetzky, *par Joseph Roth*
R126. Le vent souffle où il veut
par Paul-André Lesort
R127. Si j'étais vous..., *par Julien Green*
R128. Le Mendiant de Jérusalem, *par Elie Wiesel*
R129. Mortelle, *par Christopher Frank*
R130. La France m'épuise, *par Jean-Louis Curtis*
R131. Le Chevalier inexistant, *par Italo Calvino*
R132. Dialogues des Carmélites, *par Georges Bernanos*
R133. L'Étrusque, *par Mika Waltari*
R134. La Rencontre des hommes, *par Benigno Cacérès*
R135. Le Petit Monde de Don Camillo, *par Giovanni Guareschi*
R136. Le Masque de Dimitrios, *par Eric Ambler*
R137. L'Ami de Vincent, *par Jean-Marc Roberts*
R138. Un homme au singulier, *par Christopher Isherwood*
R139. La Maison du désir, *par France Huser*
R140. Moi et ma cheminée, *par Herman Melville*
R141. Les Fous de Bassan, *par Anne Hébert*
R142. Les Stigmates, *par Luc Estang*
R143. Le Chat et la Souris, *par Günter Grass*
R144. Loïca, *par Dorothée Letessier*
R145. Paradiso, *par José Lezama Lima*
R146. Passage de Milan, *par Michel Butor*
R147. Anonymus, *par Michèle Manceaux*
R148. La Femme du dimanche
par Carlo Fruttero et Franco Lucentini
R149. L'Amour monstre, *par Louis Pauwels*
R150. L'Arbre à soleils, *par Henri Gougaud*